DRESSLER

Unverkäufliches Leseexemplar

Das Buch erscheint Anfang August 2013.
Rezensionen bitte nicht vor dem
26. Juli 2013 veröffentlichen.

240 Seiten, gebunden
Einbandgestaltung von Frauke Weise unter
Verwendung von Illustrationen von Michael Fry
ISBN 978-3-7915-0707-1
12,95 € (D) / 13,40 € (A)

Deutsche Erstausgabe
1. Auflage 2013

Originalausgabe: Disney. Hyperion Books, 2013
Originaltitel: *The Odd Squad – Bully Bait*

Published by Arrangement with Michael Fry
Dieses Werk wurde vermittelt durch die
Literarische Agentur Thomas Schlück GmbH, 30827 Garbsen.
Aus dem Amerikanischen von Yvonne Hergane
Umschlaggestaltung: Frauke Weise unter Verwendung
einer Illustration von Michael Fry
Satz: Sabine Conrad, Rosbach
Druck und Bindung: GGP Media GmbH, Pößneck
Printed 2013
ISBN 978-3-7915-0707-1

www.dressler-verlag.de

MICHAEL FRY

* PAULS OBERKRASSER WACHDIENST

Aus dem Amerikanischen
von Yvonne Hergane

Dressler Verlag · Hamburg

FÜR KIM.

Niemand anderes hätte es sein können.

1. KAPITEL

Ich steckte in meinem Schließfach fest.

Mal wieder.

So schlimm war das aber gar nicht. Schließfächer sind viel geräumiger, als man denkt.

Vor allem, wenn man so klein ist wie ich. Ich bin wahrscheinlich der kleinste Zwölfjährige auf dem ganzen Planeten. Was cool wäre, wenn man dafür einen Eintrag ins Guiness-Buch der Rekorde kriegen würde. Die Kategorie gibt's da aber nicht. Ich hab nachgeschaut.

Mom sagt ständig zu mir: »Paulie, irgendwann wirst du schon noch wachsen.«

»Irgendwann« ist so ein typisches Mom-Wort und bedeutet: »Irgendwo zwischen Jetzt und Niemals«.

Mom versucht ja nur, mich aufzumuntern. Das ist schon ok. Nicht okay ist, dass sie mich Paulie nennt. »Paulie« klingt wie einer dieser kopfläusigen Irren aus Omamis Lieblingssendung, *Dr. Holmes*.

Omami findet mich nicht zu klein. »Du bist nur so, weil du mit vier Jahren so süß warst, dass wir dir Ziegelsteine auf den Kopf gestapelt haben, damit du nicht weiterwächst. Irgendwann macht's bestimmt Knack! und du wächst wieder. Irgendwann.«

Omami denkt sich oft Sachen aus, die beinahe logisch klingen – aber eben nur beinahe.

Tatsache ist: Ich bin zu klein. Deswegen konnte mich Roy überhaupt ins Schließfach stopfen.

Weil ich reinpasse.

Roy hat Probleme. Zumindest sagt Dr. Daniels, die Schulpsychologin, das immer. Ich sehe an Roy nur ein einziges Problem: Er ist ein Mutanten-Troll.

Anders als ich hat Dr. Daniels nicht den Troll-Detektor-Blick. Sie sagt, Roy sei ein ganz normaler Junge, der aus Hilflosigkeit heraus Kontrolle über sein Leben zu erlangen sucht, indem er mich kontrolliert. Die Frau hat einfach keine Ahnung. Roy ist fies. Das sind manche Leute eben.

In meinem Schließfach war ich zwar in Sicherheit, aber richtig bequem war's da drin nicht gerade. Mir war der Hintern eingeschlafen, so richtig Untoten-mäßig. So was nennt man Zombie-Arsch. Und wie allgemein bekannt, bringt ein Zombie-Arsch Holzbeine mit sich. Mit Holzbeinen kann man einigermaßen gehen.

Aber eben nicht wirklich.

Ich wusste, wenn ich nicht bald aus dem Schließfach rauskam, würde ich es überhaupt nie mehr. Und ich hatte echt keine Lust, drauf zu warten, dass *Jemand ganz Bestimmtes* vorbeikam und mir da raushalf.

2. KAPITEL

Da stand er, Mr. Dupree, der Hausmeister, und starrte zu mir ins Schließfach rein. Genau der *Jemand ganz Bestimmtes*, von dem ich nicht gefunden werden wollte. Erstens, weil er total durchgeknallt ist, und zweitens, weil er mich dann zwingen würde, in Dr. Daniels' Büro zu gehen.

Mr. Dupree ist auf eine ganz andere Art durchgeknallt als andere Erwachsene. Und zehn Mal durchgeknallter als alle zusammen. Ich glaube, er ist ein Hippie. Wie Omami, als sie jung war. Hippies sind die Dinosaurier-Version von Skateboardern.

VOR 50 MILLIONEN JAHREN HEUTE

Nachdem er mein Schließfach geöffnet hatte, stand Mr. Dupree eine Weile einfach nur da. Dann sagte er: »Scheint, als würdest du dich hier drin wohlfühlen.«

Ich zuckte mit den Schultern. Schulterzucken ist mein Lieblings-Move für Situationen, in denen alles, was ich sage, später gegen mich verwendet werden könnte.

»In letzter Zeit finde ich dich nämlich ganz schön oft da drin«, sagte er.

Ich zuckte nur.

»Willst du mir erzählen, wie du hier reingeraten bist?«

Ich zuckte zum dritten Mal.

»Zuck, du willst es mir nicht erzählen? Oder zuck, du weißt nicht, wie du hier reingeraten bist?«

Ich zuckte das vierte Mal. Neuer Weltrekord! Jiiihaaaa!

Mr. Dupree schien wenig beeinzuckt … äh …druckt. »Dann war das wohl mal wieder unsere Emily.«

Ich muss ziemlich bekloppt geguckt haben, denn er fügte hinzu: »Paul, ich bin schon echt lange an der Emily Dickinson Middle School.«

Emily gibt's gar nicht. Zumindest glaube ich nicht dran, dass es sie gibt. Und sie ist hundertprozentig keine amerikanische Dichterin namens Dickinson. Sie ist nur so ein Ding, das sich ein paar Schüler vor Jahren ausgedacht haben, als Ausrede für die ganzen seltsamen Sachen, die an dieser Schule so passieren.

Nehmen wir zum Beispiel die Frage, warum die letzten fünf Minuten einer Unterrichtsstunde immer scheinbar endlos lang sind? Das liegt an Emily (sie hält den Minutenzeiger der Uhr fest). Warum wird in der Schulkantine Rote Bete serviert (die kein Kind in der Geschichte des Universums je gegessen hat)? Auch daran ist Emily schuld (weil sie verrückt ist nach Roter Bete). Wer stellt den Klopapierhalter so ein, dass man immer nur ein williwinziges Stückchen rauskriegt? Ja, genau – Emily (manchmal macht sie Sachen einfach aus reiner Bosheit).

Emily hat ihre Finger ganz schön oft im Spiel. Aber

in mein Schließfach hat sie mich eindeutig nicht gestopft. Und ich hatte nicht vor, *Irgendjemandem* zu verraten, wer es gewesen war.

Kopfschüttelnd griff Mr. Dupree mit einer Hand ins Schließfach und zerrte mich raus. Und dann bemerkten wir beide gleichzeitig den großen Riss in meinem T-Shirt.

»Auch Emily?«, fragte Mr. Dupree.

Diesmal zuckte ich nicht mit den Schultern. Fünf Mal Schulterzucken geht nicht. Beim fünften Schulterzucken *denken* Erwachsene nicht mehr, dass du sie verarschen willst – sie *wissen* es.

Also schüttelte ich den Kopf.

Der Riss im T-Shirt musste vom Ins-Schließfach-gestopft-Werden kommen, als Roy mich reingepresst hatte. Mom würde das sicher nicht entgehen. Und bei Mom funktioniert weder Schulterzucken noch Kopfschütteln. Ich würde mir was anderes einfallen lassen müssen. Nicht so eine lahme Ausrede von wegen, der Hund war's oder T-Shirt-zerfetzende Aliens wollten mich in der Pause entführen oder so. Emily kann ich's auch nicht in die

Schuhe schieben. So was würde Emily nicht machen, ist nicht ihr Stil.

Also versuchte ich auf dem Weg zu Dr. Daniels, mein T-Shirt in die Hose zu stopfen, um den Riss zu kaschieren. Zum Glück hatte die Stunde schon angefangen, sodass niemand auf dem Flur war. Kein Mensch will beim Schwachmaten-Spaziergang Richtung Psycho-Büro auch noch Publikum haben.

Ich halte auf diesem Weg ins Ungewisse immer den Mund. Weil alles, was ich sage, grundsätzlich gegen mich verwendet wird.

Aber leider war Mr. Dupree an diesem Tag offenbar nach Plaudern zumute. Aus heiterem Himmel fragte er mich, ob ich schon mal auf Borneo gewesen sei.

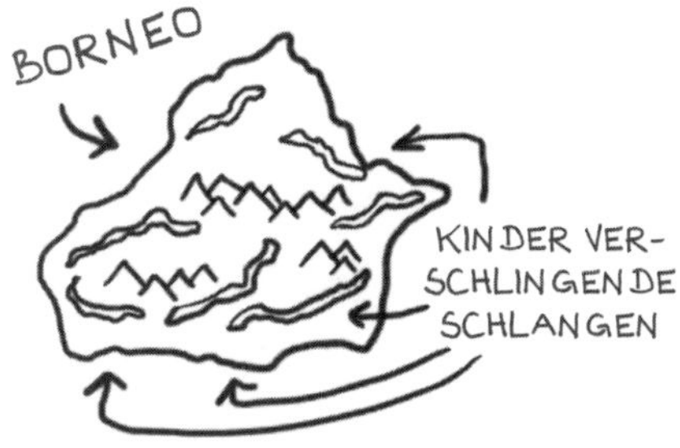

Ich schüttelte den Kopf.

Mr. Dupree sagte, Borneo sei eine Insel im Pazifik. Da gibt's nicht viel mehr als Regenwald und Schlangen. Große Schlangen. Zehn Meter lange Schlangen. Haufenweise große, zehn Meter lange, Kinder verschlingende Schlangen.

Mr. Dupree sagte, er sei einmal inkognito auf Borneo gewesen – als wäre er so eine Art Spion oder so was. Dabei sieht er überhaupt nicht aus wie ein Spion. Spione sind cool. Mr. Dupree ist uncool.

Mr. Dupree soll auf Borneo einem Eingeborenenstamm geholfen haben, sich gegen einen anderen Stamm zu wehren, der dem ersten Stamm die Schweine klaute. Er erzählte, der zweite Stamm wollte die Schweine haben, um sie an die Schlangen zu verfüttern, damit die Schlangen nicht mehr die Menschen fraßen, weil die nämlich …

… winzig kleine Zwergenleute waren.

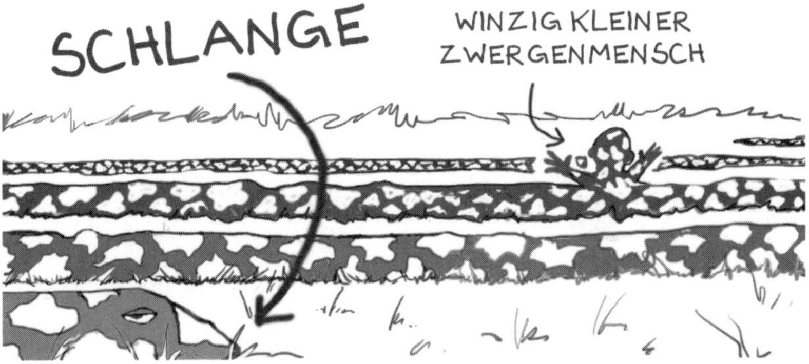

Mr. Dupree sagte, die Zwergenleute seien wilde Krieger gewesen. Sie machten in Horden Jagd auf Elefanten.

Um sie an die Schlangen zu verfüttern.

Ich hab mal ein Referat über Elefanten gehalten. Elefanten gibt's nur in Afrika und Indien. Ich drehte mich zu Mr. Dupree um und sagte: »Es gibt auf Borneo gar keine Elefanten.«

»Stimmt.« Er lächelte. »Jetzt nicht mehr.«

Und dann machte er weiter mit seiner Geschichte. Jeden Tag seien ein paar der Zwergenleute ins Dorf eingefallen, um Schweine zu klauen, aber er hätte sie abgewehrt. Doch dann rückten in einer Nacht gleich *alle* Zwergenleute gemeinsam an.

»Ich konnte drei oder vier von denen wie ein Ninja zu Boden schicken«, sagte er. »Aber danach machten sie Dupree-am-Spieß aus mir.«

Ich glaubte ihm zwar kein Wort, aber eines musste man ihm lassen, die Geschichte war echt gut.

»Und was ist dann passiert?«, fragte ich.

»Wovor hat jeder fiese Kontrollfreak Angst?«

»Keine Ahnung.«

»Die Kontrolle zu verlieren.«

Ich schüttelte verständnislos den Kopf.

»Wenn er die Kontrolle verliert, bekommt er es mit der Angst zu tun«, sagte Mr. Dupree. »Und wenn er Angst hat, rennt er weg.«

»Und wie schafft man es, dass er die Kontrolle verliert?«

»Man nimmt sie ihm weg.«

»Und wie?«

Mr. Dupree beugte sich zu mir runter und grinste mir ins Gesicht. »Mit der verrückten Freak-Nummer.«

Und dann stellte er sich mitten auf den Flur und machte den Freak.

FÄUSTE IN DEN MUND STOPFEN

ELCHRÖHREN NACHMACHEN

Ich hatte noch nie einen Erwachsenen so durchdrehen sehen. Man hätte meinen können, es wäre beängstigend gewesen, aber in Wirklichkeit war es eher beeindruckend.

Und es funktionierte. »Die Freak-Nummer hat die Zwergenleute in die Flucht getrieben«, erklärte Mr. Dupree. »Der Stamm konnte seine Schweine behalten.«

Wahrscheinlich wurden die Zwergenleute dann weiter von den Schlangen verspeist. Aber dazu sagte Mr. Dupree nichts mehr.

»Augenblick mal«, sagte ich. »Soll das heißen, wenn ich mich wie ein Irrer aufführe, werde ich in Zukunft nicht mehr in mein Schließfach gestopft?«

»Wenn du dir selber Angst einjagst, jagst du auch so ziemlich jedem anderen Angst ein«, antwortete Mr. Dupree. »Du kannst alles machen, was dir an verrückten oder unheimlichen Sachen einfällt. Je gruseliger, desto besser. Aber pinkel dir nie in die Hose. Das ist einfach nur eklig.«

Ich nickte, obwohl ich mir immer noch nicht vorstellen konnte, dass die Freak-Nummer bei einem Schul-Honk funktionieren könnte. Von einem Armfurzkonzert würde Roy sich garantiert nicht beeindrucken lassen.

»Die Geschichte, die Sie mir erzählt haben – nichts davon ist wirklich passiert, stimmt's?«, sagte ich.

»Glaubst du mir etwa nicht?«

»Sie sind Hausmeister, kein Spion.«

»›Es gibt mehr Dinge im Himmel und auf Erden, als Eure Schulweisheit sich träumt, Horatio.‹«

»Ähm … ich heiße Paul.«

»Also, Paul, vielleicht ist die Geschichte wahr, vielleicht auch nicht. Aber nur weil ich vielleicht flunkere, heißt das noch lange nicht, dass ich nicht die Wahrheit sage.«

Hä? Wie soll eine Lüge gleichzeitig die Wahrheit sein?, dachte ich.

Da waren wir schon vor dem Psycho-Büro angekommen. Aber Dr. Daniels war nicht da. Mr. Dupree sagte, ich soll mich hinsetzen und warten. Er wollte schon gehen, dann drehte er sich noch mal um, holte eine Socke aus der Tasche und stülpte sie sich über die Hand.

Ich sag doch, der Typ ist durchgeknallt.

3. KAPITEL

Als Mr. Dupree weg war, schaute ich mich um – ich war allein. Mrs. Korn, die Schulsekretärin, von der alle sagen, sie wäre in Wirklichkeit ein Alien, musste wohl gerade Pause haben.

Und das hieß, dass ich unbeobachtet war. Ich hatte das ganze Büro zur freien Verfügung, einschließlich der Mikrofon-Anlage der Schule.

Gerade als ich drauf und dran war, mich in noch mehr Schwierigkeiten zu reiten, tauchte *sie* plötzlich auf. *Sie* ist Becky Harrison und das schönste Mädchen der Schule. Und meine Freundin.

Na ja, sozusagen.

Omami und ich haben auf dem Wissenschaftskanal mal eine Astronomiesendung darüber gesehen, dass es vermutlich haufenweise Universen gibt, in denen haufenweise verschiedene Versionen von ein und demselben Lebewesen rumlaufen, sodass da draußen quasi so ziemlich alles zu so ziemlich jedem Zeitpunkt möglich ist.

Und in einem dieser unzähligen Paralleluniversen ist Becky Harrison meine Freundin.

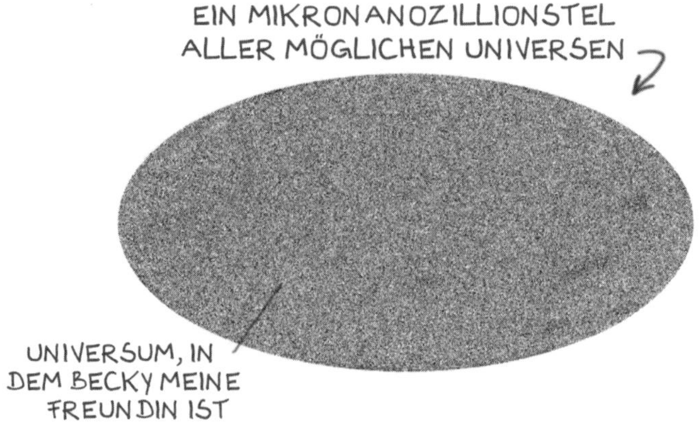

Ich finde Astronomie super.

Becky schleppte einen Stapel Anwesenheitslisten an und sah mich erst gar nicht. Was gut war, weil ich dadurch Zeit hatte, meine Tarn-Vorrichtung zu aktivieren.

Als ich sie abnahm, war Becky schon wieder weg. Zum Glück. Ich bin sicher, wenn Becky aus diesem Universum bemerken würde, dass es mich gibt, wäre die Becky in dem anderen Universum schlagartig nicht mehr meine Freundin.

Schließlich kreuzte Dr. Daniels auf. Und zwar nicht allein. Sie hatte erstens ein irrwitzig großes Mädchen dabei und zweitens einen kräftig gebauten Jungen (so nennt Omami alle, die fett sind), der als Polizist oder so was verkleidet war.

Bevor ich den kräftig gebauten Typen fragen konnte, ob er Gürtel und Abzeichen aus einer Cornflakes-

Packung hatte, scheuchte Dr. Daniels uns alle drei in ihr Büro.

Dr. Daniels und ich blicken auf eine lange gemeinsame Vergangenheit zurück. Sie hat schon auf der Buzz-Aldrin-Grundschule als Schulpsychologin gearbeitet und im gleichen Jahr wie ich hierher auf die Emily Dickinson gewechselt.

Ich bin mir ziemlich sicher, sie stalkt mich.

Ihr Büro sieht genauso aus wie ihr altes in der Grundschule – von oben bis unten mit Einhörnern dekoriert. Alles ist hell und blitzsauber und überall liegen Rollenspiel-Handpuppen und ach-so-hilfreiche Ratgeber-Prospekte rum.

Ich hatte genug Gelegenheit, ein bisschen vor mich hin zu würgen, bis Dr. Daniels mit unseren Karteikarten hereinkam. Sie klatschte sie der Reihe nach auf ihren Schreibtisch und sagte dazu unsere Namen auf. »Paul Nick Ramsey.« KLONTSCH. »Molly Wibble.« KLONTSCH. »Karl Mooney.« KA-LONTSCH. Dann sah sie uns nacheinander an. »Ich nehme an, ihr kennt euch.«

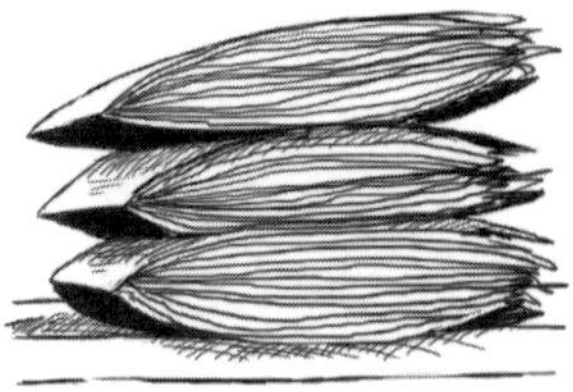

Ja, Molly hatte ich schon mal gesehen. Sie ist auch kaum zu übersehen.

Jedes Mal, wenn jemand sie »Molly Bohnenstange« oder so was nennt, schießt sie ihren vernichtenden Kein-Erbarmen-Blick ab. Der wirkt, als würde man von zwei Laserstrahlen voll Scham und Schmach getroffen.

Deswegen ist sie an der ganzen Schule als Molly Super-Starr bekannt.

Karl hatte ich auch schon das eine oder andere Mal gesehen. Der gehört zu den Leuten, mit denen man bewusst keinen Blickkontakt aufnimmt, weil sie dann sofort denken, du willst ihr Freund sein. Und dann krallen sie sich mit ihrem übermenschlichen Loser-Griff an dir fest.

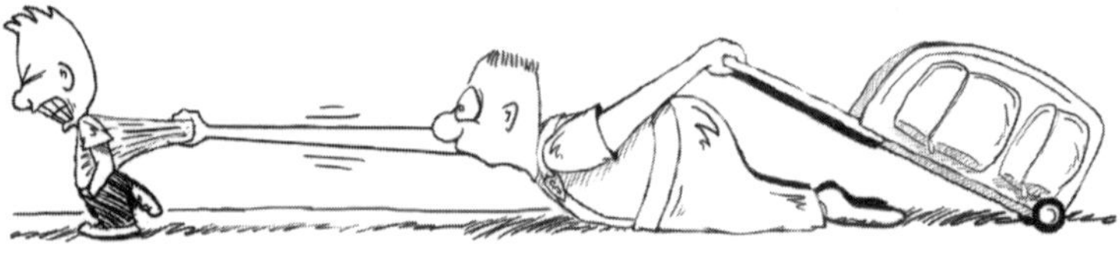

Außerdem ist Karl so ’ne Art Offline-Hacker. Ständig fummelt er an alten Elektronik-Spielsachen rum und verkabelt sie neu.

Dr. Daniels hockte sich auf eine Schreibtischecke und bedachte mich mit dem Ich-bin-deine-beste-Freundin-du-kannst-mir-alles-sagen-Blick, den man ihr auf der Psychologen-Schule beigebracht hat. »Paul, das ist dieses Jahr schon das achte Mal, dass du in ein Schließfach gestopft wurdest. Kannst du mir vielleicht erklären, wie das immer passiert?«

Ich zuckte mit den Schultern.

Dann wandte sie sich Karl zu.

»Das ist schon das neunte Mal, dass du an der Unterhose von einem Kleiderhaken gehangen hast. Was war denn los?«

Karl zuckte mit den Schultern.

Dr. Daniels drehte sich Molly zu.

»Und bei dir ist es das siebte Mal, dass du mit zusammengebundenen Schnürsenkeln auf dem Flur lang hingeschlagen bist. Irgendeine Ahnung, wer das getan haben könnte?«

Molly zuckte mit den Schultern.

Drei Schulterzucker hintereinander! Geiles Team!

Dr. Daniels schüttelte seufzend den Kopf. »Ich weiß, dass ihr alle drei schikaniert werdet. Ich weiß nur nicht, von wem. Ich weiß allerdings, dass vor allem solche Kinder rausgepickt werden, die Einzelgänger sind und keiner Gruppe angehören. Und ihr passt alle drei genau in diese Kategorie.«

Sie nickte entschieden. »Ihr leidet alle unter einer Mitschüler-Allergie.«

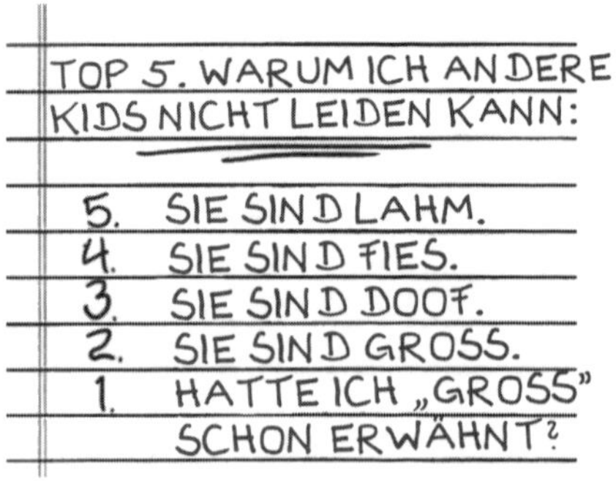

Das fand ich extrem unlogisch. Ich war nicht allergisch gegen andere Kids. Ich konnte sie nur nicht besonders gut leiden.

Karl hob die Hand. »Heißt das, wir müssen den Rest unseres Lebens in so einer Gummiblase verbringen?«

Er sah richtig enttäuscht aus, als Dr. Daniels Nein sagte.

»Ihr müsst im Leben irgendwo dazugehören«, sagte Dr. Daniels.

Karl hob wieder die Hand. »Aber ich gehöre doch zum Wachdienst.«

Dr. Daniels schloss die Augen. »Karl, du bist das *einzige* Mitglied des Wachdienstes.«

Da fiel mir ein, wo ich Karls Gürtel und Abzeichen schon mal gesehen hatte. Er hatte sie während einiger Feuerschutzübungen umgebunden – und dabei wie wild auf die Notausgänge gezeigt, die jeder auch selber sehen konnte.

»Andere Kinder finden sich doch auch Gruppen, denen sie beitreten«, fuhr Dr. Daniels fort. »Verschiedene Sportarten, Schülervertretung, Musikbands, Chor … Nur ihr nicht. Das verstehe ich nicht. Woran liegt das?«

Die Antwort ist easy-peasy, dachte ich: Das Zeug ist durch die Bank laaaaahm!

Sport? Ich hab mal drüber nachgedacht, mich für Football anzumelden, bis ich feststellte, dass die anderen Spieler dort längst etwas hatten, was sie treten, schlagen oder durch die Gegend schleudern konnten.

Die brauchten mich also nicht.

Schülerclubs? Dafür müsste ich auch nachmittags an der Schule bleiben. Und Roy hat schon am Vormittag genug Gelegenheit, mir aufzulauern. Außerdem sind die Dinger die reinste Zeitverschwendung. Vor allem die Schüler-Vermittler. Als könnte eine Handvoll zickiger Achtklässlerinnen Roy davon abhalten, mich in mein Schließfach zu stopfen. Also bitte.

Schülervertretung? Nein danke. Die hat ungefähr genauso viel Einfluss auf die Abläufe an der Schule wie ich auf Roys Verhalten.

Und Musikbands oder Chor mögen für andere ganz okay sein, aber für mich sind sie die Orte, an denen meine Träume gestorben sind.

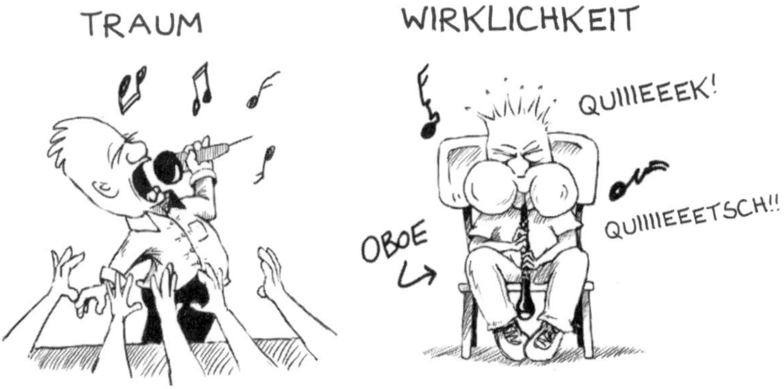

Aber Dr. Daniels erzählte ich von alledem nichts.

Ich zuckte nur wieder mit den Schultern, während Molly auf ihre Schuhe starrte und Karl sich eine Kruste vom Arm pulte.

»Ich bin sicher, wenn ihr etwas finden würdet, wo ihr hingehört, würdet ihr nicht so leuchtend rote Zielscheiben auf dem Rücken tragen«, sagte Dr. Daniels.

Hallo? Die waren nicht auf dem *Rücken*.

Plötzlich zeigte Dr. Daniels auf Karl. »Und ich glaube, ich habe soeben die Lösung gefunden.«

Augenblick mal! Die wird doch jetzt nicht das sagen, was ich denke, dass sie sagen will? Nein, bitte nicht! Aber bevor ich mein Gehirn dazu bringen konnte, meinen Mund in Bewegung zu setzen, verkündete Dr. Daniels: »Willkommen im ...«

»WACHDIENST?!!«, schrie ich.

Dr. Daniels lächelte. »Das wäre doch toll, oder?«

4. KAPITEL

Das war's also. Keine Chance, da wieder rauszukommen. Als Dr. Daniels Molly, Karl und mir vorschlug, Telefonnummern auszutauschen, damit wir uns absprechen konnten, sahen wir sie an, als hätte sie zwei Köpfe, wovon einer in Flammen stünde. Und da eröffnete sie uns, dass das mit dem Wachdienst obligatorisch ist. Sie zwang uns also, dazuzugehören, ob es uns passte oder nicht.

Man sollte meinen, schlimmer hätte es danach nicht mehr kommen können.

Konnte es aber doch.

In der folgenden Wortschatz-Stunde lautete eines der neuen Wörter auf der Vokabelliste: *demütigen*. Ich hatte keinerlei Mühe, einen Beispielsatz damit zu bauen.

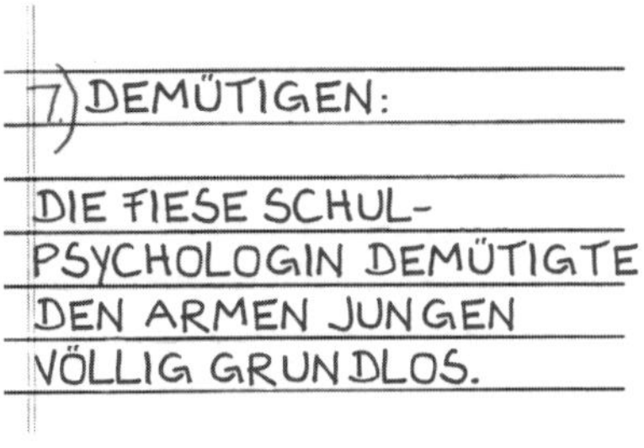

In Physik war die Rede davon, dass ein Körper, der in Bewegung ist (wie meiner, der sich im Wachstum befindet), so lange in Bewegung bleibt, bis er von einer anderen Kraft beeinflusst wird.

In Mathe mussten wir eine Textaufgabe lösen: Wie viele Bücher im Format 28 cm x 13 cm x 2,5 cm passen in ein 90 cm x 30 cm x 30 cm großes Schließfach? Die Antwort war: »höchstens vier«. Zumindest bei einem Schließfach, in dem ich feststecke.

Aber das Allerschlimmste kam nach der Schule.

Ich hatte mich hinter einem Baum versteckt, um abzuwarten, bis Roy in seinen Bus stieg, damit ich danach unbehelligt in *meinen* Bus steigen konnte.

Ich sah mich nach allen Seiten um, konnte ihn aber

nirgends sehen – oder riechen (Roy benutzt tonnenweise Deo).

Schließlich driftete ein Hauch Grapefruit-Schokolade-Moschus-Duft in meine Nasenlöcher, und etwa eine Minute später tauchte auch Roy auf.

Er ging auf seinen Bus zu, dann blieb er plötzlich stehen und … verwandelte den Tag in den offiziell SCHLIMMSTEN TAG MEINES LEBENS!

Er blieb stehen, um mit Becky zu reden! *Das kann er doch nicht machen! Weiß der denn nicht, dass sie meine Paralleluniversums-Freundin ist?*

Mein Magen klumpte sich zusammen, meine Schultern sackten runter, die Knie gaben unter mir nach. Ich fiel hin und fragte mich augenblicklich …

5. KAPITEL

Erst verurteilt mich also die Wichtigtuerin von Schulpsychologin zu einem Dasein als Totalversager. Dann wagt es mein Erzfeind, sich meiner Paralleluniversums-Freundin zu nähern. Dann werde ich von oben bis unten von Ameisen zerbissen. Und als absolute Krönung brüllt Mom, kaum dass ich wieder zu Hause bin, mich aus vollem Hals an, weil ich die Milch draußen stehen gelassen habe.

Offenbar hat unser Bullterrier beim Küchentheken-Surfen die Milchtüte vom Tresen gefegt. Janice und Milch passen nicht zusammen. Jetzt wird sie wieder tagelang ununterbrochen furzen.

Mein Leben stinkt. Und das liegt nicht nur an Janice.

Seit zwei Jahren geht das so, seit Mom und Dad sich getrennt haben. In der einen Minute bist du noch ein Kind und Teil der Familie und schon in der nächsten

Minute ist alles anders und du bist Teil von … von was eigentlich?

Echt komisches Gefühl – als würde man von einer Schaukel abspringen, und dann guckt man runter und

der Boden ist weg. Man fällt. Und fällt und fällt, bis man sich irgendwie dran gewöhnt und vergisst, dass man fällt, aber dann passiert so ein Tag wie heute … und man wacht auf und es wird einem klar … dass man immer noch weiter fällt.

Na ja, es ist nicht alles übel. Geburts-

tage sind nach einer Scheidung zum Beispiel um Längen besser. Und jeder bemitleidet dich.

Dass Omami bei uns eingezogen ist, war auch sehr hilfreich. Ist echt schwer, traurig zu sein, wenn sie da ist.

Als ich mich zum Beispiel auf die Suche nach Janice machte, um sie an die Luft zu befördern, entdeckte ich, dass Omami ihr einen Duftbaum an den Schwanz gebunden hatte.

Wenn Omami eine Superheldin wäre, dann bestünde ihre Superkraft darin, alles zuzuduften. Die Frau trägt einen Lufterfrischer in einem Pistolenhalfter, den sie sich um die Hüften geschlungen hat.

Ich konnte nicht schnell genug ausweichen, als sie anfing rumzusprühen. Ich flüchtete vor der Duftwolke ins Esszimmer, wo Mom gerade den Abendbrottisch deckte.

Ich war etwas überrascht, dass Mom zu Hause war.

Sie ist Krankenschwester, ihr Dienstplan ist oft ziemlich wild. Manchmal taucht sie wie ein Ninja aus heiterem Himmel auf, einfach so. Da muss ich echt immer auf Zack sein.

Sie arbeitet in einem Krankenhaus in der Notaufnahme. Was zur Folge hat, dass ich jede Horrorstory zu hören kriege, in der sich irgendein dämliches Kind irgendwie wehgetan hat. Ein Wunder, dass Mom mich nicht mit drei Geheimdienst-Gorillas als Schutz zur Schule schickt.

Trotzdem, Mom ist ziemlich cool – für eine Mutter. Ich kann immer mit ihr reden, wenn ich will, ich muss nur aufpassen, dass ich ihr nicht zu viel Schulzeug erzähle, sonst flippt sie aus. Das Letzte, was ich gebrauchen kann, wäre, dass Mom anfängt, mich vor Roy beschützen zu wollen.

Schließlich setzten wir uns alle zum Essen hin. Heute gab es Makkaroni mit Käse und Thunfisch. Wir essen wirklich OFT Makkaroni mit Käse. Mit Thunfisch, mit Hackfleischbällchen, mit Würstchen oder meine Lieblings-Variante: mit Fleischwurst. Makkaroni mit Käse geht einfach und geht immer, aber wir essen das vor allem deswegen so oft, weil Omami nichts anderes essen will. Das Zeug ist voller Konservierungsstoffe, und Omami sagt, dadurch ist sie selber auch besser konserviert.

Irgendwann während des Essens fragte mich Mom plötzlich, wie mein Tag so war. Na klar, weil ich ihr jetzt ganz sicher erzählen würde, dass ich dem Untergang geweiht bin, genauer gesagt, dem Runtergang in den Keller, um dort den Rest meines Lebens zu verbringen.

Ich sagte also: »Gut.«

»Gut?«, hakte sie nach.

Meine Mutter hat die total entnervende Fähigkeit, sofort zu spüren, wenn etwas *nicht* gut ist. Keine Ahnung, wie sie das macht. Ist vielleicht so 'ne Art Hirn-Ausquetsch-Trick.

Meine einzig sinnvolle Reaktion bestand darin, sie mit VZVI – Viel Zu Viel Information – zu bombardieren. Also schoss ich gnadenlos meine VZVI-Munition auf sie ab, über Hausaufgaben, das Cafeteria-Essen, die Anzahl der von mir heute gespitzten Bleistifte, das Fehlen des Klopapiers in der dritten Kabine der Jungstoilette im ersten Stock und die Farbe von Dr. Daniels' Schuhen.

»Du warst heute bei Dr. Daniels?«, fragte Mom. »Was war denn los? Wieso weiß ich nichts davon?«

Ich hatte wieder mal vergessen, dass es auch VVZVI gibt – Viel VIEL Zu Viel Information.

»Also, ich hab sie auf dem Flur gesehen«, stammelte ich. »Ihre Schuhe waren lila, echt jetzt. Grell lila. Kriegt man Augenkrebs von.«

Mom warf mir einen Mutterblick zu, der besagte: *Du kannst vor mir wegrennen, aber du kannst dich nicht ewig vor mir verstecken.*

»Aha«, sagte sie, als sie den Riss in meinem T-Shirt entdeckte. »Und was ist mit dem passiert?«

Ich beschloss, auf Nummer sicher zu gehen und zur Standard-Taktik zurückzukehren. Ich zuckte also mit den Schultern.

Mom wandte sich an Omami und zog eine Augenbraue hoch. »Es ist ein Rätsel.«

Omami schüttelte den Kopf. »Ein Rätsel ist wie ein Schwein in Unterhosen. Es ergibt so lange keinen Sinn, bis man sieht, wie das Schwein eine Hose drüberzieht.«

Wir starrten einander wortlos an. Dann fing Mom an zu schnauben. Ich kicherte los. Und Omami ließ ihr irres Lachhupen raus, das sie immer draufhat. Alles war wieder total easy …

… und zwar ganze drei Sekunden lang, bis Omami anfing zu würgen.

Mom sprang auf und schlug ihr kräftig auf den Rücken. Ein Stück Makkaroni schoss aus Omamis Mund, segelte quer durchs Zimmer und blieb schließlich mit einem Klatsch! am Fernsehbildschirm kleben.

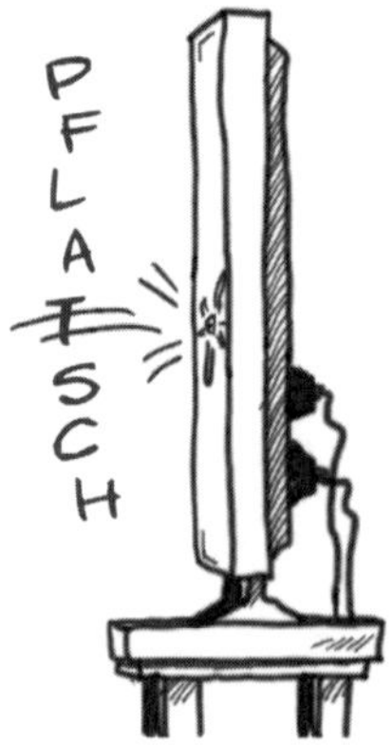

Wir holten alle tief Luft, sahen einander wieder wortlos an – und dann war alles zu spät. Wir lachten so heftig, dass ich nicht anders konnte, als zu denken, wie sehr mir das alles hier fehlen würde, wenn ich den Rest meines Lebens im Keller verbringen müsste.

6. KAPITEL

Nach dem Abendessen guckte ich mir mit Omami *Dr. Holmes* an. Es war die Folge mit dem Typen, bei dem hirnzerfressende Amöben festgestellt werden.

Nachdem Omami eingeschlafen war, schnappte ich mir ihr Handy und rannte auf mein Zimmer. Ich benutze ihr Handy immer dazu, Roy Sachen zu simsen, die ich ihm als Paul Nick Ramsey nicht sagen könnte. Da Omami mit Vornamen Maxine heißt, Kurzform Max, kriegt Roy also Nachrichten von jemandem namens Max, die ihn richtig, richtig stinkig machen.

Ich meine, ich bin schon mein ganzes Leben lang ich. Und das ist schon okay so. Bis auf die letzten zwei Jahre, in denen ich nicht mehr gewachsen bin … und das mit Roy … und dann das mit Becky … und jetzt auch noch das mit dem Wachdienst …

Aber das ist nur mein äußeres Ich. In mir drin ist noch ein zweites Ich, das groß und stark ist und immer nach Kuchen duftet.

Irgendwann fing ich an, mich zu fragen, wie ich mein inneres Ich nach außen holen könnte. Mich einmal von links auf rechts umkrempeln.

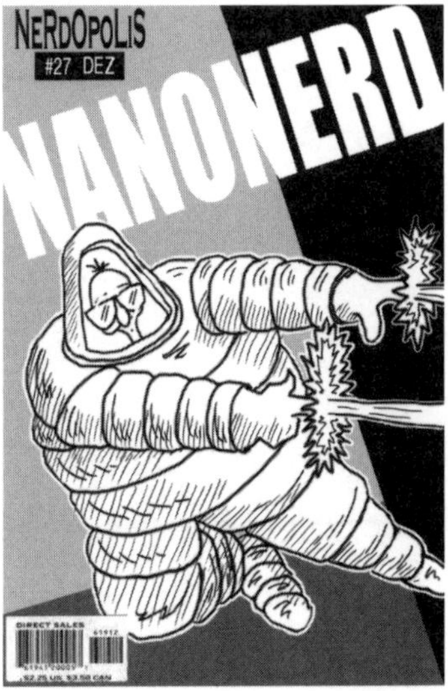

Ich fand die Antwort da, wo alle Antworten auf die Fragen des Lebens zu finden sind: in meinem Lieblings-Comic, *NanoNerd*.

NanoNerd kam ohne Wirbelsäule auf die Welt. Und erst als er sein Gehirn auf NanoBot runterlud und zur ersten Hybrid-Mischung aus Nerd und Android mutierte, entdeckte er sein wahres Ich.

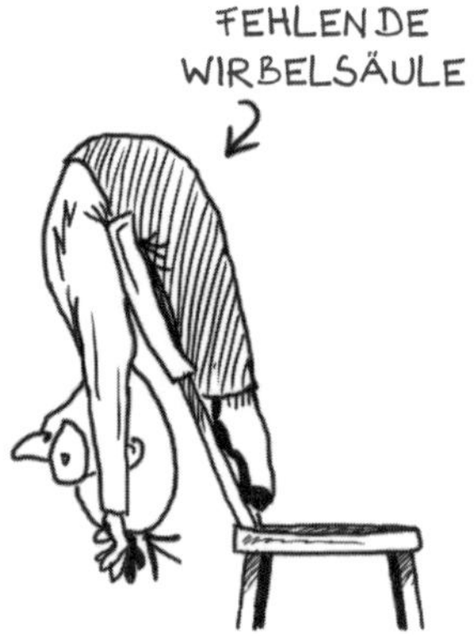

Ich hatte aber keine Ahnung, wie ich mein Gehirn auf einen NanoBot runterladen sollte, also musste ich mir einen einfacheren Weg ausdenken, mein Inneres nach außen zu stülpen.

Am Tag bin ich Paul Nick Ramsey, klein, schüchtern und unsichtbar. Nachts hingegen verwandle ich mich mithilfe von Omamis Handy in den großen, selbstbewussten, allseits beliebten … Max Pounder!

Und so sah mein SMS-Verkehr mit Roy an jenem Abend aus:

Paul: Hey Roy! Du bist so doof, du hast dir ein solarbetriebenes Nachtlicht gekauft

Roy simste zurück:

Roy: Wenn ich rauskrieg, wer du bist, zerquetsch ich dir den Kopf bis dein Hirn aus den Ohren rauskommt!

Wie Omami sagen würde, mit Roy zu simsen ist echt zum Huuuupen! Dafür hat sich das Risiko, bei meinem neunundzwanzigsten Besuch in Dr. Daniels' Büro die Telefonliste unserer Klasse zu klauen, echt ausgezahlt!

Nach ein paar weiteren (für mich) lustigen SMS an Roy trudelte plötzlich eine Nachricht von Becky an Max ein. Sie weiß zwar nicht, wer *ich* bin, aber sie ist die beste Freundin von Max.

Max und Becky simsen sich schon seit zwei Wochen. Sie weiß, dass ich auf ihre Schule gehe, weil wir über Sachen quatschen, die man nur wissen kann, wenn man auf die Emily Dickinson geht, zum Beispiel, wem beim Mittagessen Milch aus der Nase geschossen ist oder welcher Lehrer am lautesten schnarcht, wenn er im Unterricht einschläft.

An dem Abend war Beckys SMS die beste bisher. Sie zeigte mir, dass der Tag, so beschissen er auch gewesen sein mochte, am Ende doch nicht ganz umsonst gewesen war.

Becky: Die haben diesen kleinen Typen, das irre lange Mädchen und den Fettklops gezwungen, einen Wachdienst oder so zu gründen.

Becky weiß jetzt also, dass es mich gibt!

7. KAPITEL

Am nächsten Tag ging ich extra früh zur Schule und direkt in die Bücherei. Da verstecke ich mich gern mal, bevor der Unterricht beginnt. Die Bücherei ist nämlich so ziemlich der letzte Ort, an dem Roy sich aufhalten würde.

Außerdem mag ich Bücher. An diesem Morgen las ich *Huckleberry Finn*. Das Buch ist echt gut, auch wenn es vor einer Million Jahren geschrieben wurde. Es geht um diesen Jungen namens Huck, der mit Jim abhaut, einem Sklaven. Sie lassen sich auf einem Floß den Mississippi runtertreiben und erleben dabei jede Menge cooles Zeug.

Huck und Jim sind cooler als jeder andere, den ich kenne. Sie kümmern sich umeinander. Manchmal wünschte ich, ich hätte auch so jemanden wie Jim, der auf mich aufpasst. Wenn ich zum Beispiel in der Bücherei sitze und denke, ich bin allein, da wäre es echt klasse,

einen Freund wie Jim zu haben, der mich warnt, dass sich mir gerade ein Mutant nähert, der mich in sein Gravitationsfeld saugen will.

Roy erwischte mich also total auf dem falschen Fuß. Kein Laut verriet ihn. Kein Geruch. Wahrscheinlich war ihm das Deo ausgegangen.

Als ich aufschaute, stand er da und starrte mich an. Seine Augen waren wie winzige schwarze Löcher, die alles aufsaugen.

Ich kniff beide Augen zu. Als ich sie wieder aufmachte, steckte ich in meinem Schließfach.

Aber auch egal. Hier festzusitzen bedeutete immerhin, dass ich vor Dr. Daniels in Sicherheit war. Und vor dem Wachdienst. Und, wie mir plötzlich klar wurde, vor den Klimmzügen in der Sportstunde, an denen ich wie immer gescheitert wäre.

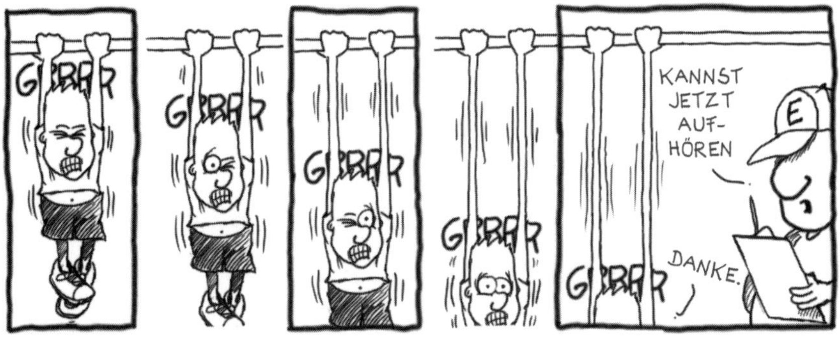

Also dachte ich zuerst, Roy hätte mir sogar einen Gefallen getan. Aber dann fiel mir ein, dass ich, wenn ich noch mal zu spät käme, *nachsitzen* müsste!

Und zwar nicht allein. Denn der Raum, in dem Nachsitzen stattfindet, ist Roys zweites Zuhause. Also musste ich dringend raus aus meinem Schließfach. Um das Ganze noch zu verschlimmern, fing mein Hintern schon wieder an zu kribbeln, was sich bis zu den Zehen runterzog. Klarer Fall von Zombie-Arsch. Und ohne Hilfe hatte ich keine Chance, hier rauszukommen.

Aber um Hilfe rufen konnte ich auch nicht. Sonst würde ich am Ende wieder im Psycho-Büro landen und trotzdem zu spät zum Unterricht kommen. Ich musste also einem Freund simsen, dass er mich retten sollte. Und da fiel mir ein …

Dass ich überhaupt keine Freunde hatte.

Aber ich hatte die zwei Telefonnummern von den Mitgliedern des Wachdienstes, die mir Dr. Daniels aufgedrängt hatte.

Karl würde mir bestimmt helfen, aber dann würde er mit mir abhängen wollen, und dann würden wir über kurz oder lang identische Kofferrucksäcke über den Flur schleifen.

Aber Molly ansimsen ging gar nicht. Ich kannte sie doch kaum. Sie würde mir garantiert nicht helfen. Außer … außer *ich* half *ihr*.

Paul: Brauch dich!

Molly: Wer?

Paul: Paul!! Psycho-Büro, schon vergessen? Steck im Schließfach fest

Molly: ?

Paul: Bin in meinem Schließfach!

Molly: ???

Paul: DER MUTANT HAT MICH REINGESTOPFT!!!

Molly: Musst nicht gleich brüllen

Paul: Hol mich bitte raus

Molly: Mach doch selber

Paul: Hab Zombie-Arsch!!

Molly: Mal damit zum Arzt gehen?

Paul: MIR IST DER HINTERN EINGESCHLAFEN!! Wenn du mich rausholst helf ich dir den Wachdienst zu umgehen. 1. Stock, Nr 187. Beeil dich!

Molly: Du bist echt arm

Paul: Hallo? Kommste jetzt oder was?

Paul: Hallo?

8. KAPITEL

Als ich schon dachte, Molly würde nicht kommen, und mich anfing zu fragen, ob mein Hintern überhaupt noch einer Amputation entgehen konnte, wurde meine Schließfachtür plötzlich aufgerissen.

»Boah, danke!«, sagte ich. »Hilf mir bitte raus hier.«

Molly hob eine Hand. »Nein, erst sagst du mir, wie ich aus dieser Wachdienst-Nummer rauskomme.«

Also sagte ich es ihr.

Sie wirkte kein bisschen beeindruckt. »Dein Plan besteht darin, dass wir ein ärztliches Attest fälschen sollen, in dem drinsteht, dass wir gegen den Wachdienst allergisch sind?«

»Immerhin hab ich die Schulschwester mal dazu gebracht, mich wegen einer Allergie gegen Schweiß vom Sportunterricht zu befreien«, gab ich zu bedenken.

»Und für diesen bekloppten Vorschlag lässt du mich hierherkommen? Du bist echt jämmerlich! Meinet-

wegen kannst du da drin verrotten!« Sie wollte schon die Tür zuschlagen.

»Bitte!«, flehte ich. »Ich darf nicht schon wieder nachsitzen! Hol mich hier raus, und ich schwöre, ich lasse mir was noch viel Besseres einfallen.«

Molly starrte mich an. Dann verdrehte sie die Augen, wandte mir den Rücken zu und sagte: »Spring auf.«

Spring auf? Ich sollte mich von einem Mädchen Huckepack tragen lassen? »Vergiss es«, sagte ich. Ey, selbst bei mir gibt's Grenzen in Sachen Demütigung.

»Wie du meinst. Dann kommst du eben zu spät zum Unterricht.«

Ok, ich würde meine Grenzen in Sachen Demütigung eben ein bisschen verschieben müssen. Und das war eine weise Entscheidung, denn sobald ich auf Mollys Rücken saß, sah ich die Welt plötzlich aus einer ganz neuen Perspektive.

Ich konnte ALLES sehen! Die ganze Schule. Jeden Lehrer, jeden Schüler, jede Clique. Ich sah die OMG!-Mädchen.

Und die Emos.

Und die Hoffnungslosen Fälle.

Und ich sah … Ärger auf mich zukommen. Denn in diesem Augenblick kamen Roy und seine Kumpels, Die Zukünftigen Dauer-Knackis Amerikas, auf uns zu.

Und sie hatten die einzige Ein-Mitglieds-Clique der Schule im Visier. Also gingen wir in Deckung.

Wir hätten es beinahe geschafft, auf Zehenspitzen zu entkommen, als …

BZZZZZZZZZZZZZZZZZZ!

Jemand mich auf dem Handy anrief. KARL.

»Wollen wir zusammen abhängen?«, fragte er.

»Was, jetzt?«, flüsterte ich etwas zu laut.

Roy und die ZDKA hatten uns erblickt. Molly und ich setzten uns in Bewegung, stürmten um die nächste Flurbiegung und … prallten gegen eine Schülergruppe. Sofort ging ich auf alle viere und zog Molly mit zu Boden. Es gelang uns, in ein leeres Klassenzimmer zu kriechen und uns hinter einem Projektor zu verstecken. Wir warteten. Etwa eine Minute lang passierte nichts. Wir dachten, wir wären in Sicherheit. Waren wir aber nicht.

Und auf einmal ging alles ganz schnell. Es wechselte von übel zu noch übler und dann zu … total abgefahren.

Der Feueralarm war unsere Rettung. Normalerweise finden Feuerübungen immer dann statt, wenn alle in ihrer Klasse sind, und dann stellen sich alle in einer Reihe auf und folgen ihrem Lehrer nach draußen.

Aber jetzt war niemand in seiner Klasse, also wusste auch niemand, wohin er gehen sollte.

Niemand, außer Wachdienstmeister Karl.

Karl tat das, wofür er ausgebildet worden war: Er zeigte uns die Fluchtwege. Und das war sein erster Fehler.

Sein zweiter Fehler bestand darin, zu glauben, dass sein Wachmanngürtel ein echter Gürtel sei. Denn als wir uns alle draußen wiederfanden, fand sich Karl plötzlich ohne Hose.

Karls dritter Fehler war das Tragen einer NanoNerd-Unterhose.

Und sein vierter und letzter Fehler bestand darin, zuzulassen, dass Roy seine Hose schneller fand als er.

Während Roy sich einen Spaß daraus machte, Karl vergeblich nach seiner Hose schnappen zu lassen, brüllten alle vor Lachen und zeigten mit dem Finger auf Karl.

Und da machte es in mir irgendwie Klick. Jemand musste doch etwas unternehmen! Und gerade als ich entschieden hatte, dass ich dieser Jemand sein musste, entschied Molly offenbar dasselbe für sich.

Ohne uns abzusprechen, stürmten wir beide zugleich auf Roy zu. Und als ich so vor ihm stand, war ich so außer Atem, dass ich was richtig Dämliches sagte:

»Sonst was?«, raunte Molly mir zu.

»So weit bin ich mit meinen Überlegungen noch nicht gekommen«, flüsterte ich zurück.

»Ich glaube, das hilft mir jetzt auch nicht so viel«, sagte Karl.

Da ließ Roy Karls Hose fallen und stürzte sich auf mich.

Er packte mich am Bein, drehte mich kopfüber und hielt mich hoch. »So wirkungsvoll scheinst du als Wachmann nicht zu sein, du Zwerg!« Er lachte.

Doch da hörte ich plötzlich hinter uns jemanden schreien. Klang nicht nach einem Kind. Aber nach einem Erwachsenen irgendwie auch nicht. Ich drehte mich in der Luft umher, aber da war keiner.

»Was?!«, brüllte jemand.

Und dann schrie die seltsame Stimme noch mal. Ich verstand gar nichts.

»Was soll er machen? Die Freak-was?«

Na klar, dachte ich. *Als ob die Nummer funktionieren würde.*

Aber als Roy dazu ansetzte, mich wie einen Boxsack zu verdreschen, entschied ich spontan, ein Versuch könne schließlich nicht schaden.

Also begann ich, wie ein Seehund zu bellen und wie ein Huhn mit den Armen zu schlagen.

Roy riss die Augen auf. Er sah verwirrt aus. Und vielleicht sogar ein bisschen … erschrocken?

Und dann ließ er mich los.

Es funktionierte doch. Also beschloss ich, noch ein bisschen was draufzupacken. Ich …

Roy wich immer weiter zurück, aber nur sehr langsam. Mir gingen allmählich die Freak-Ideen aus. Da sprang Molly ein. Sie …

Karl brauchte etwas länger, um zu schalten. Aber als er einmal loslegte, war er als Freak etwas ganz … Besonderes.

Nachdem Karl eine Ballett-Einlage zum Besten gegeben hatte, stand Roy einfach nur da und sah sich Hilfe suchend um. Aber alle starrten nur stumm zurück. Roy war allein auf weiter Flur. Und zum ersten Mal im Leben vielleicht auch ein bisschen verängstigt.

Dann … zog er einfach ab.

Und da passierte das Seltsamste überhaupt. Alle fingen an zu jubeln! Und zum allerersten Mal johlten sie *mit* uns, nicht *gegen* uns.

Molly, Karl und ich sahen einander an.

Mr. Dupree hatte recht gehabt: Die Freak-Nummer funktionierte. Wir fühlten uns großartig. Absolut großartig.

Und zwar genau zwölf Sekunden lang.

Aber die zwölf Sekunden konnte mir keiner mehr nehmen.

Als wir uns alle wieder Richtung Klassenzimmer in Bewegung setzten, erspähte ich auf einmal Mr. Dupree.

»Danke, dass Sie mich an den Freak erinnert haben!«, schrie ich.

Mr. Dupree schüttelte den Kopf. »Ich bin gerade erst gekommen.«

»Aber wenn Sie es nicht waren, wer dann?«, fragte ich.

Mr. Dupree riss die Augen auf. »Emmmily …« Er zitterte.

Karl schnappte nach Luft. »Es gibt sie also doch!«

Mr. Dupree nickte. »Und sie hatte gerade richtig viel zu tun. Sie hat nämlich auch den Feueralarm ausgelöst.«

Ich verdrehte die Augen.

»Karl, er will dich nur verarschen. Es gibt keine Emily«, sagte Molly.

»Wahrscheinlich gehörte die Stimme einfach jemandem, der gestern mitgekriegt hat, wie mir Mr. Dupree von der Freak-Nummer erzählt hat«, sagte ich. »Und der Feueralarm ist nur versehentlich zum falschen Zeitpunkt losgegangen.«

»Moment mal. Was war das mit gestern?«, hakte Molly nach.

»Nicht so wichtig«, antwortete ich. »Wichtig ist nur, wie es nach dem heutigen Tag weitergeht. Ich lasse mich nie wieder in ein Schließfach stopfen.«

Mr. Dupree lächelte. »Erwartung ist die Wurzel allen Kummers.«

Molly und Karl sahen mich verständnislos an. Ich schüttelte den Kopf. »Keine Fragen, bitte.«

»Morgen früh, sieben Uhr dreißig«, sagte Mr. Dupree. »Unten im Keller.«

»Wieso? Was ist da?«, fragte ich.

9. KAPITEL

Am nächsten Morgen fanden Molly, Karl und ich uns im Keller der Schule ein.

Und zwar allein.

Mr. Dupree war im Chaos aus Hausmeister-Utensilien und Schulgerümpel aus Dinosaurierzeiten (als man Filme noch auf Rollen drehen musste) nirgendwo zu sehen.

Wir wollten schon wieder gehen, als wir plötzlich eine Stimme hörten: »Willkommen zum Wachdienst.«

Wir sahen hoch – Mr. Dupree hockte auf einem Eimer, als wäre er schon die ganze Zeit da gewesen. Er trug einen merkwürdigen Hut und sah ganz ernst drein. Was mit so einem Hut echt schwer ist.

Karl hob eine Hand. »Darf ich der Chef sein?«

»Erst mal legen wir fest, was eure Aufgaben sind«, sagte Mr. Dupree. »Welches Ziel habt ihr?«

Wir sahen einander an, dann taten wir das, was wir immer tun, wenn wir nicht sicher sind, was passiert, wenn wir die falsche Antwort geben: Wir zuckten mit den Schultern.

Mr. Dupree schüttelte den Kopf. »Regel Nummer eins beim Wachdienst: Kein Schulterzucken!«

Das kam mir oberkrass vor.

»Also, warum seid ihr hier?«, fuhr er fort.

Karl hob wieder die Hand. »Ich dachte, es gibt Donuts.«

»Wir wollen, dass an dieser Schule niemand mehr gemobbt wird!«, ging Molly dazwischen.

Ich schaute sie an. »Echt?«

»Gestern hatten wir alle auf unserer Seite. Das war das erste Mal, dass ich das Gefühl hatte, hierher zu gehören«, erklärte Molly. »Als wäre ich tatsächlich beliebt oder so was. Und beliebte Kinder sind keine Opfer.«

»Ja, und?«, sagte ich.

»Wenn alle irgendwo dazugehören, wird keiner mehr schikaniert! Also müssen wir allen helfen, damit sie dazugehören.«

»Auch Karl?«, hakte ich nach.

Molly nickte. »Auch Karl.«

Während wir uns unterhielten, lächelte Mr. Dupree auf diese bestimmte Erwachsenenart, bei der eigentlich immer eine Denkblase auftauchen sollte.

»Ihr habt eine Schlacht gewonnen«, sagte Mr. Dupree. »Aber nicht den ganzen Krieg. Und den Krieg gewinnt man nicht, indem man Freundschaften schließt. Sondern indem man der Gegenseite das nimmt, was sie einem selber wegzunehmen versucht.«

»Ihre Hosen.« Karl nickte.

Mr. Dupree schüttelte den Kopf. »Kennt ihr die Geschichte von dem Inder, der in den Dschungel zog, um mit Tigern zusammenzuleben?«

Wir schüttelten alle den Kopf.

»Der Mann war der Meinung, alle Lebewesen sollten in Harmonie miteinander leben. Und er glaubte, er könne mit den Tigern zusammenleben. Er dachte, sie würden ihn als einen von ihnen akzeptieren. Also zog er in den Dschungel und spielte wochenlang mit ihnen.«

Karl lächelte. »Nette Tiger.«

»Eines Tages brachte der Mann einem der Tiger eine Banane zum Essen mit. Der Tiger schaute erst die Banane an, dann den Mann. Und was meint ihr, was als Nächstes passiert ist?«

Karl hob die Hand. »Der Tiger hat den Mann aus Dankbarkeit umarmt?«

»Der Tiger hat den Mann aufgefressen.«

Karl starrte auf seine Schuhe. »Die Geschichte gefällt mir nicht.«

Mr. Dupree beugte sich vor. »Tiger passen sich nicht an«, raunte er. »Müssen sie auch nicht. Ihr müsst der Tiger sein, nicht der dumme Mann.«

Molly und Karl wirkten leicht geschockt, aber ich kannte Mr. Duprees Geschichten ja schon.

»Das klingt mal wieder nach einer Ihrer ›Lügen, die die Wahrheit sagen‹-Geschichten«, sagte ich.

Molly runzelte die Stirn. »Moment mal, wie kann eine Lüge die Wahrheit sagen?«

»Eben.« Ich nickte. Dann wandte ich mich Mr. Dupree zu. »Na? Wie kann sie das?«

Er lächelte. »Nur Geduld. Ist sie schon eine abgetrieb'ne Mähre, so schleppt sie sich doch fort.«

Ich hatte keine Ahnung, was er damit meinte. Ich drehte mich zu Molly, aber sie zuckte nur mit den Schultern. Und Karl war … na ja …

Als Molly und ich Karl aus der Schulbank befreit hatten, war Mr. Dupree verschwunden. Wo er auf dem Putzeimer gesessen hatte, lagen jetzt zwei brandneue Wachdienst-Armbinden.

»Wir brauchen keine Armbinden«, sagte Molly.

Karl war enttäuscht. »Nicht?«

Molly schüttelte den Kopf. »Mr. Dupree hat unrecht – wir müssen uns unbedingt anpassen, um dazuzugehören. Mit den Armbinden würden wir negativ auffallen. Wir können doch niemand anderem beim Anpassen helfen, wenn wir selber noch nicht dazugehören.«

»Und wie sollen wir anderen dabei helfen?«, fragte ich.

»Wir zwingen die angesagten Schüler dazu, sie zu akzeptieren, sonst …«

Ich nickte. »Bringen wir wieder die Freak-Nummer.«

»Aber was ist mit den Tigern?«, fragte Karl.

»Es geht überhaupt nicht um Tiger, Karl!«, pampte Molly.

»Bist du sicher?« Er kaute auf seinen Fingernägeln. »Ich hab nämlich keine Lust, aufgefressen zu werden.«

»Niemand wird dich auffressen«, sagte ich.

Ich schüttelte den Kopf und dachte: *Willkommen beim Wachdienst.*

10. KAPITEL

Tiger können nicht mit Menschen befreundet sein.

Mr. Dupree hatte recht. Molly hatte unrecht. Und ich wurde für den Versuch, die natürliche Ordnung der Dinge auf den Kopf zu stellen, wieder mal mit einem Zombie-Arsch belohnt.

Was war schiefgegangen? Was war denn bitte *nicht* schiefgegangen …?

Unser Plan hatte darin bestanden, uns jeweils einen Schüler rauszusuchen, dem wir helfen sollten, sich anzupassen.

Karls Wahl fiel auf Warren Pickles. Warren ist der Einzige an der Schule, der nicht woanders hingeht, wenn Karl sich beim Mittagessen neben ihn setzt.

Warren hat aber ein Problem mit dem Thema »Persönliche Distanzzone« – er glaubt nicht dran.

Karls Aufgabe bestand darin, dass Warren von den Hoffnungslosen Fällen akzeptiert werden sollte. Klingt doch einfach – ein seltsamer Außenseiter akzeptiert einen noch seltsameren Außenseiter. Richtig? Falsch.

Es stellte sich raus, dass selbst die sozial Unterentwickelten ihre ganz persönlichen Grenzen haben – und diese Typen überfuhr Warren gleich zum Einstieg wie ein Bulldozer.

Das Ergebnis: Die Hoffnungslosen Fälle hängten Karl und Warren an den Hosen auf. Sie brauchten dazu zwar einen Flaschenzug und mussten sich mehrfach dabei abwechseln, aber am Ende schafften sie es.

Während Karl noch auf Rettung wartete, versuchte

Molly, die OMGs dazu zu bringen, Alice Frektner in ihrer Mitte aufzunehmen, das Dauer-Mauerblümchen der Emily Dickinson Middle School. Molly hatte gedacht, die OMGs würden sich begeistert auf die Herausforderung und eine großartige Gelegenheit stürzen, jemanden komplett umzustylen. Aber sie stürzten sich nicht. Sie standen da wie angewurzelt.

Das Problem war, dass Alice das ist, was Omami »schlicht« nennen würde. Um genau zu sein, schlicht bis zur Unsichtbarkeit. Sie ist irgendwie gar nicht da. Was Mollys Versuch, sie vorzustellen, ziemlich erschwerte.

Die OMGs waren sich sofort darin einig, dass Molly verrückt sei. Und zwar nicht verrückt im Sinne von Freak. Eher im Sinne von »Bleib mir vom Leib, ich will mich nicht mit deiner Beklopptheit anstecken«.

Meine Aufgabe war die allerschwierigste. Und die gefährlichste. Ich hatte beschlossen, dass ich damit entweder in die Geschichte eingehen würde – oder für alle Zeit in Isolation verweilen.

Ich wollte Roy zum Mitglied der Gattung Mensch machen.

Ich hatte mir vorgestellt, zu Roy zu gehen und mit ihm eine Unterhaltung etwa nach dem folgenden Muster zu führen:

Aber in Wirklichkeit passierte Folgendes.

Ich ging zu Roy und sagte: »Hey, Mann!«

Er wirbelte zu mir herum, und eine Sekunde lang sah es so aus, als hätte er Angst vor mir.

Dann doch nicht.

»Alles cool zwischen uns?«, fragte ich.

Aber ich wusste im selben Augenblick, dass überhaupt nichts cool war. Roy hatte die schwarzen Augen zu Schlitzen zusammengekniffen und brummte. Und dann knurrte er. Und ich glaube, er schnaubte sogar ein, zwei Mal.

Ich geriet in Panik.

Und holte den Freak raus. Ich …

Aber nichts passierte. Roy saß einfach nur da. Mr. Dupree hatte mir nie erzählt, dass die verrückte Freak-Nummer ein Verfallsdatum hat.

Alle Augen in der Cafeteria waren auf mich gerichtet. Ich sah mich Hilfe suchend nach allen Seiten um – aber da war keine Hilfe.

Als ich mich wieder umdrehte, stand ich plötzlich nur Zentimeter von Roy entfernt, seine Wampe auf meiner Augenhöhe. Ich bog den Kopf zurück und schaute langsam nach oben …

Von oben bis unten mit Fleischsülze vollgesülzt zu werden, ist nicht komisch. Fleischsülze hinterlässt Flecken. Und zwar auf der Haut. Wie ein Tattoo. Nur um Lichtjahre weniger cool.

Ich kreischte. Ich duckte mich weg. Ich rannte davon.

Und versteckte mich.

Roy kann mich schließlich nicht in mein Schließfach stopfen, wenn ich schon drin bin. Und so schlimm ist es da drin auch wieder nicht.

Wenn man vom Zombie-Arsch absieht.

11. KAPITEL

Nach der Schule trafen Molly, Karl und ich uns bei der Bushaltestelle. Das war's mit dem Wachdienst, da waren Molly und ich uns einig. Karl war noch unentschlossen. Einerseits machen Notausgänge nicht von selbst auf sich aufmerksam, meinte er, andererseits gehen ihm wegen der ewigen Scheuerwolfattacken langsam die Unterhosen aus.

Wir standen jetzt also wieder genau da, wo wir gestartet waren. Nur dass es jetzt noch schlimmer war als vorher. Es war, als hätten wir uns Roy nie entgegengestellt, als hätten die anderen uns nie zugejohlt, als wären wir nicht für ganze zwölf Sekunden beliebt gewesen.

Jetzt wusste *jeder*, wer wir waren. Jeder wusste, wer *ich* war.

Ich war berühmt.

Nicht so filmstarmäßig.

Eher so kennst-du-das-YouTube-Video-wo-der-Trottel-mit-dem-Kopf-im-Briefkasten-feststeckt-mäßig.

Jeder kennt dich. Aber keiner will auch nur in deine Nähe kommen.

Und so war das an diesem Tag auch im Bus.

Ich hockte hinten und sah, wie die Kids vorne miteinander flüsterten und immer wieder zu mir nach hinten schauten, und ich dachte an das, was Mom mir mal gesagt hatte, kurz nachdem sie und Dad sich getrennt hatten.

Da ging's mir gleich etwas besser – bis ich aus dem Fenster schaute und Roy mit Becky sah. Zusammen. SCHON WIEDER!

Und … sie berührte ihn! Am Arm! Und zwar ***mit Absicht***!

Das kann sie doch nicht machen! Das darf sie nicht! Es ist widernatürlich! Berührungen zwischen Menschen und Mutanten-Trollen sind verboten – gemäß Regel Nummer 6 auf der Liste der Top-10-Regeln für *Wenn Ich Mal Das Universum Regiere*:

10. ALLE SCHLIESSFÄCHER SIND GEPOLSTERT, INNEN.
9. ALLE KLEIN GEWACHSENEN KINDER KRIEGEN PIZZA UMSONST.
8. NANONERD-KOSTÜME GIBT'S AUCH IN XS FÜR JUNGS.
7. FLEISCHSÜLZE WIRD ALS SONDERMÜLL AUF DER DEPONIE GELAGERT.
6. JEDER KONTAKT ZWISCHEN MENSCHEN UND MUTANTEN-TROLLEN IST VERBOTEN.
5. SCHÜLER-VERMITTLER SIND VERBOTEN.
4. ALLEN KATZEN WERDEN HUNDE-PERSÖNLICHKEITEN TRANSPLANTIERT.
3. ALLE GROSSMÜTTER ERHALTEN KOSTENLOSE YOGASTUNDEN.
2. KRANKENSCHWESTERN WERDEN ALS GÖTTINNEN VEREHRT.
1. MAKKARONI MIT KÄSE GIBT'S FÜR ALLE, IMMER UND JEDERZEIT KOSTENLOS.

Ich wandte mich vom Fenster ab, sank auf meinen Sitz und starrte auf meine Schuhe.

»Aus Nichts kann Nichts entstehen«, sagte plötzlich eine Stimme draußen neben dem Bus.

Ich schaute aus dem Fenster und Mr. Dupree zu mir hoch.

»Sie denken sich das ganze Zeug immer nur aus, stimmt's?«, sagte ich.

»Du bist nicht der Erste in der Geschichte der Menschheit, der mal einen üblen Tag hat.«

Ich richtete den Blick starr geradeaus.

»Hast du schon mal von der Schrecklichen Schneeziege gehört?«

Ich verdrehte die Augen. »Die gibt's doch überhaupt nicht.«

»Vielleicht nicht. Vielleicht aber doch«, sagte Mr. Dupree. »Bisher hat nur noch niemals jemand ein Exemplar so richtig aus der Nähe gesehen. Aber zum Thema übler Tag. Diese Ziegen leben im Himalaja, in Eis und Schnee auf siebentausend Metern Höhe, wo es so wenig Sauerstoff gibt, dass nur alle paar Kilometer eine einzige Ziege davon leben kann.«

Er fuhr fort. »Es wäre für sie ein Leichtes, in tieferen Regionen zu leben, bei den normalen Ziegen, wo es genug Luft zum Atmen gibt und genug Artgenossen, mit denen man sich die Luft teilen kann.«

Der Busfahrer startete den Motor, ich ignorierte Mr. Dupree.

»Weißt du, warum sie trotzdem nicht bei den anderen Ziegen leben wollen?«

Der Bus setzte sich in Bewegung.

Mr. Dupree lächelte. »Weil sie dann dem Rest der Welt nicht aufs Dach steigen könnten.«

12. KAPITEL

Zu Hause angekommen, hatte ich keinen Gedanken übrig für Mr. Duprees Schreckliche Schneeziegen. Ich konnte nur daran denken, dass Becky jetzt vielleicht fürs Leben gezeichnet war, nachdem sie Roys Säure absondernde Mutanten-Trollhaut berührt hatte. Und dass ich es kaum erwarten konnte, in mein Zimmer zu gehen und Roy mit SMS zu foltern.

Ich hielt auf kürzestem Wege auf Omamis Handy zu, musste aber feststellen, dass ich so bald keine Chance haben würde, da dranzukommen.

Wenn man sieht, wie die eigene Großmutter einen Hund hypnotisiert, bleibt man automatisch stehen, ob man will oder nicht. »Warum hypnotisierst du Janice?«

»Damit sie sich das Furzen abgewöhnt«, sagte Omami.

Janice schaute mich an, als wollte sie sagen:

Bevor ich eingreifen konnte, um Janice zu retten, versenkte sich Omami in ein Buch, das sie auf dem Schoß liegen hatte. »Sobald der Patient entspannt ist, wird er auf jede Eingebung ansprechen.«

Omami sah Janice an. »Wenn ich schnipse, wirst du mit dem Furzen aufhören.«

Janice furzte.

»Ich mache bestimmt was verkehrt«, sagte Omami, griff nach ihrem Raumspray und begann das Zimmer vollzusprühen.

»Ich glaube, du kannst das nicht, Hunde hypnotisieren«, sagte ich.

»Okay, dann hypnotisiere ich eben dich.«

»Ich habe aber kein Furz-Problem.«

»Ach, uns fällt bestimmt was anderes ein, wobei wir dir helfen können.«

Vor Omami kann man, genau wie vor Mom, zwar weglaufen, aber man kann sich nicht ewig verstecken. Irgendwann stellt sie dich dann doch – und kürzt dir die Haare mithilfe eines Staubsaugers oder zwingt dich, ihr Yoga-Trainingspartner zu sein.

»Ich hab’s!«, rief Omami. »Du musst mehr Rote Bete essen!«

»Kein Mensch isst Rote Bete«, jaulte ich.

»Aber die ist gut für die Milz.«

»Omami, bitte!«

»Aus Nichts kann Nichts entstehen.«

»Was hast du gerade gesagt?«

»Das ist von Shakespeare. Es bedeutet, nur wenn man etwas versucht, kann man auch Erfolg haben. Jetzt setz dich hin und lass dich von mir hypnotisieren.«

»Wer ist Shakespeare?«

Omami sah mich an, als hätte ich ihr gerade in den Haferbrei gespuckt. Dann erklärte sie mir – ausführlicher, als mir lieb war –, wer dieser alte Greis war, der vor einer Million Jahren diese ganzen Theaterstücke geschrieben hatte.

Ich verlor bei Omamis Vortrag schnell den Überblick über die ganzen Jahreszahlen. Bevor ich mich davon erholen konnte, begann sie ihre Pillenbox vor meiner Nase hin und her zu schwenken.

Sie schnipste. Janice furzte. Und pinkelte dann auf den Teppich.

Omami wirbelte sofort zu mir herum. »Deine Mutter braucht davon nichts zu erfahren, ok?«, sagte sie.

Ich lächelte. »Abgemacht.«

Während Omami aus der Küche ein Putzmittel gegen Alien-Parasiten holte, schnappte ich mir ihr Handy und rannte hoch in mein Zimmer. Die ersten SMS schickte ich Roy noch von der Treppe aus:

Max: Kandi schon gesehen?

Roy: Wer ist Kandi?

Max: Kandi Nimmersehn!

Lange Pause. Dann:

Roy: Ich mach dich kalt Alter!!!

Max: HAHAHAHAHAHAHAHAHAHAHAHA

Max ist viel witziger als ich. Ich meine,
als Max bin ich viel witziger, als ich als Ich bin.

Nachdem ich Roy noch ein paarmal geärgert hatte, bekam Max plötzlich eine SMS von Becky.

Becky: Den Zwerg vom Wachdienst in der Cafete gesehen?

Max: Der total eingesülzt wurde?

Becky: Ja wollte sich mit Roy anfreunden.

Max: Ganz schön blöd.

Becky: Ganz schön mutig.

Ich dachte: *Moment mal, wie bitte? Sie hält mich für mutig?*

Becky: Bald mal treffen?

Max: Du und Zwerg?

Becky: Nein du und ich, Dummi. Morgen nach der Schule?

Max: Geht nicht. Fallschirm-Kurs.

Becky: ???

Max: BB

Okay, die Ausrede mit dem Fallschirm-Kurs war lahm. Aber derzeit hatte ich noch ein viel größeres Problem: Konnte ich es mir wirklich leisten, den Wachdienst hinzuschmeißen? Ich beschloss, es mal mit einem Logikbaum zu probieren.

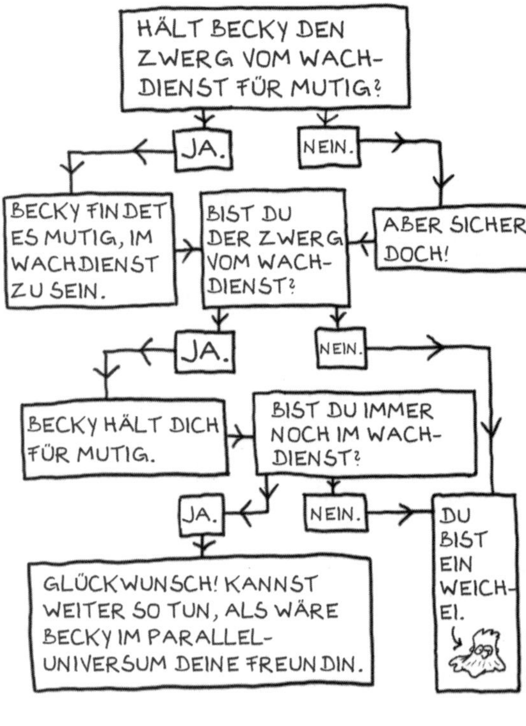

Danach war klar, was ich zu tun hatte. Ich löschte die Nachrichten auf Omamis Handy, holte mein eigenes raus und simste an Molly und Karl:

Paul: Morgen vor der Schule treffen, Keller

Molly: Was? Wieso? Kein Wachdienst mehr

Paul: Mach einfach. Ich erklärs euch

Karl: Das ist meine allererste SMS. Bin so aufgeregt!

Karl: Leute?

Karl: Hallo? Leute?

Karl: Hab ich was falsch gemacht?

Karl: Leute??

13. KAPITEL

Am nächsten Morgen baute ich mich im Schulkeller vor Karl und Molly Super-Starr auf und erklärte ihnen, dass wir den Wachdienst nicht aufgeben durften.

Sie waren meinem Plan gegenüber nicht sonderlich aufgeschlossen.

»Nach allem, was gestern passiert ist, willst du immer noch weitermachen?!«, schrie Molly.

Karl rieb sich den Hintern. »Ist immer noch ganz wund!«

Aber ich konnte ihnen unmöglich die Wahrheit sagen. Wie hätte ich ihnen sagen können, dass meine Paralleluniversums-Freundin das, was ich am Tag zuvor mit Roy gemacht hatte, mutig fand?

Also sagte ich: »Wir müssen den Wachdienst behalten, weil Nichts ist gleich Nichts. Ich meine, weil aus Etwas plus Nichts Nichts entsteht. Nein, Moment mal. Es heißt … Nichts minus Etwas mal Nichts ist gleich Etwas.«

»Wachdienst? Das ist ja sooo laaaahm!«

Wir wirbelten herum. Roy stand oben an der Treppe und lachte. »Was seid ihr denn für Witzfiguren? So ’ne Art Supergeheime Freak-Fraktion?«

Für den Fall, dass ich das noch nicht erwähnt haben sollte – Molly hasst es wie die Pest, Freak genannt zu werden. Dann überspringt sie das Super-Starr-Stadium und verwandelt sich ohne Vorwarnung in Werwolf-Molly.

»Du hast hier unten nichts zu suchen«, sagte Karl.

Roy stapfte herunter und baute sich über Karl auf. »Und wer sagt das?«

»Wir sagen das!«, schrie Molly und pflanzte Roy einen Klopömpel direkt auf den Kopf.

Roy schaute auf – und er war alles andere als erfreut. »Wer war das?!«

Roy zerrte wütend am Pömpel, aber das Ding rührte sich keinen Millimeter. Schließlich gab er auf, senkte den Kopf und – stürmte los.

Da ging das Licht aus.

ZDRONNNNG!

»Was ist denn hier los?«

Das Licht ging wieder an. Mr. Dupree stand oben an der Treppe und blitzte uns finster an.

Mr. Dupree kam hastig die Stufen runter und half Roy (der den Pömpel immer noch aufhatte) auf die Beine.

Ich grinste. »Die Kopfbedeckung kannste behalten, steht dir.«

Während Roy davonstapfte, raunte ich Molly zu: »Das heißt dann wohl, du bist wieder dabei?«

»Ach, halt die Klappe«, sagte Molly.

»Wer war der Junge?«, fragte Mr. Dupree.

Wir zuckten alle mit den Schultern.

Mr. Dupree schüttelte den Kopf. »Was hab ich gesagt, wie Regel Nummer eins beim Wachdienst lautet?«

Wir senkten alle den Blick. »Kein Schulterzucken.«

»Als ich sagte, ihr müsst der Tiger sein und nicht der dumme Mann, hab ich gemeint, ihr müsst schlauer sein als der Gegner, nicht stärker. Ihr müsst ihn unter Kontrolle bringen. Und das geht nur, wenn ihr euch selbst unter Kontrolle habt.«

Karl hob die Hand. »Ich kann die Augen drei Stunden offen halten, ohne zu blinzeln.«

Mr. Dupree ignorierte ihn. »Und der erste Schritt auf dem Weg zur Selbstkontrolle besteht darin, sich selbst kennenzulernen. Zu wissen, wo die eigenen Stärken *und* Schwächen liegen.«

Karl hob wieder die Hand. »Ich hab eine schwache Blase!« Dann fiel ihm wohl auf, dass er sich verplappert hatte, denn er fügte hastig hinzu: »Aber sagt bitte keinem was davon.«

»Man muss wissen, was man weiß und was man nicht weiß, und vor allem muss man wissen, wovon man nicht weiß, dass man es nicht weiß«, fuhr Mr. Dupree fort.

Ich weiß ziemlich sicher, dass ich nicht weiß, wovon er da redet, dachte ich.

»Man fängt damit an, dass man Informationen sammelt«, sagte Mr. Dupree.

Mr. Dupree schüttelte den Kopf. »Vergiss die Siebtklässler, Karl.«

Dann wandte er sich zum Gehen. »Morgen beginnen wir mit den Themen Tarnung, Überwachung und sichere Kommunikationswege.«

Als er weg war, drehte ich mich zu Molly um. »Er weiß, dass wir hinter Roy her sind.«

»Woher sollte er das wissen?«, fragte sie.

»Das Licht! Ich bin absolut sicher, dass er es ausgemacht hat, als Roy der Fiesling sich auf uns stürzen wollte. Er war's bestimmt auch, der den Feueralarm ausgelöst hat. Und er war die Stimme auf dem Fußballplatz, da wette ich drauf. Ich glaube, er versucht uns zu helfen.«

»Aber wie kannst du sicher sein, dass es nicht Emily war?«, warf Karl ein.

»Weil es Emily gar nicht gibt!«

»Na ja, wenn du an sie glauben würdest, vielleicht schon«, sagte Karl.

Molly schüttelte den Kopf. »Aber er hat uns doch eben gefragt, wer der Junge war. Vielleicht weiß er es doch nicht?«

»Er weiß es, hundertpro«, sagte ich. »Aber er könnte uns ja nicht helfen, wenn wir wüssten, dass er es weiß, dass es Roy ist.«

»Ich bin total verwirrt«, sagte Karl.

»Dann müsste er Roy bestrafen, versteht ihr?«, sagte ich.

Molly nickte. »Und dann würde Roy sich noch mehr auf uns einschießen.«

»Mr. Dupree ist cool. Er ist auf unserer Seite«, sagte ich.

Karl begann sich im Keller umzugucken und klatschte dabei wie wild in die Hände.

»Karl, was machst du denn da?«, fragte ich.

14. KAPITEL

An dem Abend verschlief Omami die ganze Folge von *Mein Dicker Fetter Topf-Koch* auf dem Küchensender. Und währenddessen war Max oben und bombardierte Roy mit SMS.

Max: Ey Roy, was sind die schlimmsten 4 Jahre im Leben eines Mutanten-Trolls?
Roy: Wenn du mir noch 1 SMS schickst mach ich dich platt ...
Max: Die 3. Klasse! Hahahahahaha!!
Roy: Dir wirds so was von leidtun wenn ich rauskrieg wer du bist!
Max: Wird aber schwer mit 2 Hirnzellen
Roy: Du bist tot Alter!!!
Max: HAHAHAHAHAHAHAHA!!!

Manchmal macht mir Roy echt gute Laune. Die Gabe hat er, das muss man ihm lassen.

Gerade als ich ihm wieder simsen wollte, klopfte es

an der Tür. »Paul, hast du vielleicht mein Handy gesehen?«, fragte Omami.

»Nein«, log ich. »Hast du schon auf dem Fernsehsessel nachgeschaut?«

Omami nickte. »Ich versteh ja nichts von diesen neumodischen Dingern. Haben die auch einen Unsichtbarkeitsmodus oder so?«

Ich schüttelte den Kopf. »Ich sag dir Bescheid, wenn ich's finde.«

»Ich muss nämlich unbedingt gegen frittierten Hummer abstimmen. Schon mal so was Blödes gehört? Frittierter Hummer!«

Ich schüttelte wieder den Kopf.

»Hast du das Summen gehört?«, fragte Omami.

»Was für ein Summen?«, log ich wieder. »Ich höre nichts.«

Omami zeigte auf mein Bett. »Das kommt von da …«

»Summt es jetzt immer noch?«, fragte ich.

»Nein. Jetzt hat's aufgehört.«

»Was ist da eigentlich los bei euch?«, rief Mom von unten.

»Ich hab was summen gehört«, sagte Omami.

Mom tauchte vor meiner Tür auf und sah mich an.

»Ich hab nichts gehört«, sagte ich.

Mom schaute Omami an.

Omami verdrehte die Augen. »Nur zu«, sagte sie.

Also machte Mom ihr Krankenschwester-Ding.

»Dir fehlt nichts«, sagte Mom.

»Natürlich fehlt mir nichts!« Omami wandte sich mir zu. »Waren wohl nur Sumse-Bienen in meinem Kopf.«

Ich lächelte.

Während sie den Flur hinunter verschwand, klopfte sich Omami mit der Hand gegen den Kopf, wie man das macht, wenn man Wasser aus den Ohren rauskriegen will.

Mom sah mich an. »Und du bist sicher, dass du nichts gehört hast?«

»Jahaaa, Mom!«, log ich wieder.

Die dritte Lüge innerhalb von fünf Minuten. Ich fühlte mich schrecklich und wünschte, Mom würde endlich gehen.

Sie seufzte. »Tut mir leid. Wahrscheinlich kann ich mich nur einfach nicht mit dem Gedanken anfreunden, dass Omami alt wird.«

Sie kam auf mich zu und nahm mich in den Arm.

Dann ging sie lächelnd aus dem Zimmer und machte die Tür hinter sich zu.

KLONG

Wie eine Zellentür. In einem Kellerverlies oder so. Wie im Zogex-Quadranten auf dem Planeten Frodark, wo der Monster-Sandkalmar von Lagslag NanoNerd lebenslänglich einkerkerte.

Omamis Handy brummte wieder los. Ich tauchte unters Bett und drückte auf Lautlos.

Es war eine SMS von Becky:

Becky: Gibt keinen Fallschirm-Kurs.

Aufgeflogen! Jetzt galt es, schnell eine zündende Idee zu haben.

Max: Sorry. Wollte nicht dass du mich fürn Loser hältst, weil ich im Schachclub bin.
Becky: Schach ist doch cool. Morgen treffen?
Max: Geht nicht. Partie gegen Wendell Willkie.
Becky: Aber bald, ja?
Max: Ja, bald.

15. KAPITEL

Man kann nie nur ein Mal lügen.

Lügen vermehren sich, die können nicht allein sein. Jede Lüge führt zu größeren Lügen, die dann noch größere nach sich ziehen, bis das Ganze ungefähr so aussieht:

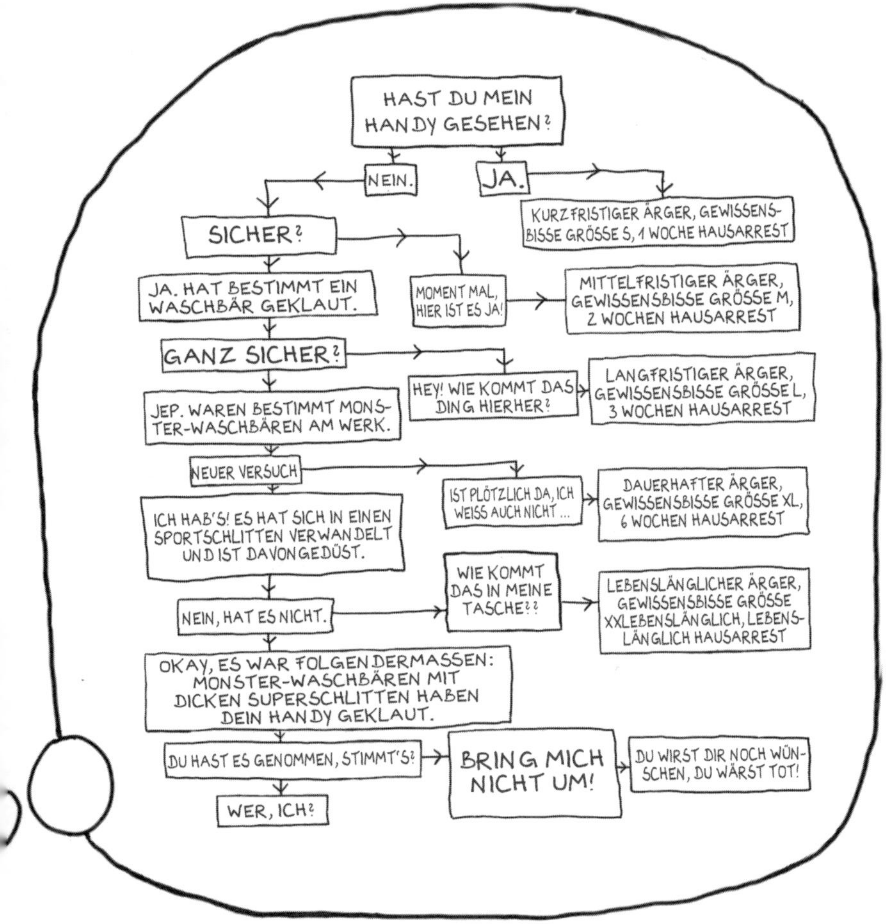

Das sind ganz schön viele Lügen auf einem Haufen.

Irgendwann werde ich vielleicht die Wahrheit sagen müssen.

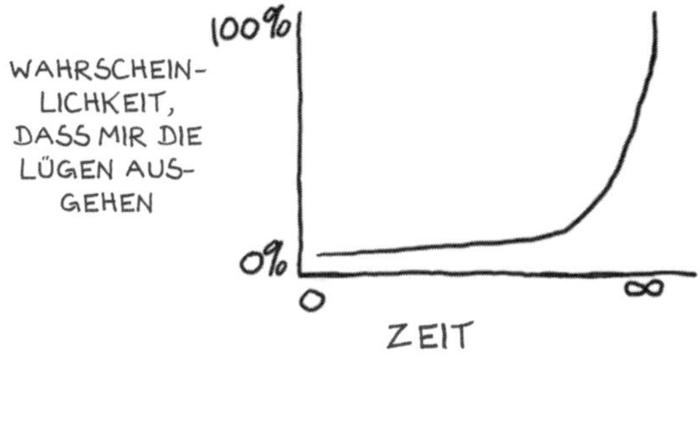

Irgendwann.

16. KAPITEL

Die ganze nächste Woche trafen Molly, Karl und ich uns vor und nach der Schule mit Mr. Dupree und bekamen einen Crashkurs in Sachen Informationen sammeln (Siebtklässler kamen dabei keine zu Schaden).

Lektion 1: Tarnung.

Mr. Dupree drückte uns etwas Schminke und eine Schachtel mit alten Klamotten in die Hand. Damit sollten wir also üben.

»Die Kunst besteht darin, sein Aussehen nur so weit zu verändern, dass man anders aussieht – aber nicht bescheuert.«

Das bekamen wir zumindest so halb hin.

Lektion 2: Überwachung.

Was so viel heißt wie: Leute beobachten, ohne dass sie merken, dass sie beobachtet werden …

Leute verfolgen, ohne dass sie merken, dass sie verfolgt werden …

… und Leute abhören, ohne dass sie merken, dass sie abgehört werden.

Mr. Dupree sagte, richtige Überwachung sei eine echte Kunst. Und da gehört künstlerische Freiheit doch dazu … !

Lektion 3: Sichere Kommunikation

Verschlüsselte Nachrichten.

Verwendung von Botentieren.

In der Zwischenzeit hörte Roys Terror nicht etwa auf, nur weil wir uns zu Spionen ausbilden ließen. Beleidigungen, Scheuerwölfe, Zombie-Ärsche – alles ging genauso weiter wie bisher.

Wir konnten es kaum erwarten, es Roy heimzuzahlen. Okay, das Training verlief nicht immer optimal, aber so nach einer Woche dachten wir, wir hätten jetzt einiges drauf in Sachen Informationen sammeln.

Wir täuschten uns.

»War doch gar nicht schlecht für den Anfang«, sagte Mr. Dupree. »Noch ein paar Wochen und ihr seid so weit.«

»Noch ein paar Wochen?!«, schrie ich.

Mr. Dupree lächelte. »›Du weißt, wenn wir die erste Luft einatmen, schrein wir und winseln‹«, sagte er.

Ich hatte die Schnauze voll von seinen blöden Zitaten. Und ich rastete aus:

Karl hob die Hand. »Dass Luft schlecht riechen kann. Nach Pups, zum Beispiel.«

»Büüddee!«, flehte ich Mr. Dupree an.

Er schüttelte den Kopf. »Zu wenig Informationen zu haben ist gefährlich. Und bisher könnt ihr kaum was. Wir üben Montag weiter.«

17. KAPITEL

Als Molly, Karl und ich durchs Schultor gingen, sagte ich: »Und ich hatte echt gedacht, dass Mr. Dupree uns helfen will.«

»Das ist echt ungerecht«, fügte Molly hinzu.

»Mir gehen langsam echt die Unterhosen aus«, sagte Karl.

Da hörte ich hinter uns jemanden lachen. Ich wirbelte herum – Becky und Roy verließen gerade gemeinsam die Schule. Geschockt schaute ich ihnen dabei zu, wie sie mein Leben noch tiefer in den Abgrund schubsten.

»Was glotzt du denn so?«, fragte Molly. »Wegen dem Mädchen, oder was?«

»Die ist nicht wichtig. Wir müssen Roy ausschalten – und zwar sofort.«

»Na ja, als wir Mr. Duprees Ratschläge das letzte Mal ignoriert haben, war das Ergebnis nicht so toll«, gab Molly zu bedenken.

Roy brüllte hinter uns los:

Ich lächelte. »Gut. Dann treffen wir uns am Samstag bei mir und entwerfen einen Plan.«

»Eine Nachmittagsverabredung!« Karl klatschte in die Hände.

Molly und ich starrten ihn an, dann stapften wir davon. Wir versuchten, ihn zu ignorieren, aber …

Es ist wirklich sehr schwer, Karl zu ignorieren.

18. KAPITEL

Am Samstag kamen Molly und Karl dann zu mir und wir starteten Operation »Reue Royale«.

Der Name der Operation stammte von Molly. Sie und Karl stimmten beide gegen meinen Vorschlag »Rösten, bis er Roye zeigt«.

Wir waren allein zu Hause. Mom war arbeiten und Omami bei ihrem Yoga-Kurs.

Ich stellte mich vor eine tragbare Tafel. »Erst mal sollten wir uns überlegen, mit welchen Methoden wir Roy ärgern können«, sagte ich.

Molly schlug vor, mit dem Sammeln weiterer Informationen anzufangen. Ich war mir zwar sicher, dass wir Roy viel schneller loswerden würden, wenn wir ihn an Riesensandflöhe verfütterten, aber ich beschloss, ihr dennoch zuzuhören.

»Je mehr wir über Roy wissen, desto einfacher wird es sein, Macht über ihn zu erlangen«, sagte Molly.

Karl hob die Hand. »Wanze!«

Ich schaute Molly an. »Wollte er jetzt dich oder mich damit beleidigen?«

»Nein!« Karl griff in seinen Rucksack und holte ein Babyfon heraus. »Ich meine, wir sollten ihn verwanzen! Ihn abhören!«

»Warum bist du im Besitz eines Babyfons, Karl?«, fragte ich.

»Ich bin gerade dabei, es zu reparieren. Mein Wellensittich hat seinen Wassernapf drauf ausgekippt.«

»Das Babyfon war im Käfig deines Wellensittichs?«, hakte Molly nach.

»Ja, für den Fall, dass er was braucht«, erklärte Karl. »Was zu essen oder eine Fußmassage oder vielleicht mal einen anderen Hut, der zu seinem Matrosenanzug passt.«

Molly und ich wechselten einen Blick. »Vielleicht hat er sein Wasser nur drauf ausgekippt, weil er seine Ruhe haben will«, sagte ich.

Karl blinzelte mich verständnislos an. »Aber warum sollte er das wollen?«

»Wenn wir jetzt bitte wieder zum Thema Roy zurückkehren könnten …«, sagte Molly.

»Roys Rucksack sieht genauso aus wie Mollys«, erklärte Karl. »Wir nähen das Babyfon ins Innenfutter ein und können dann mithören. Ich müsste nur noch seinen Rucksack gegen den von Molly austauschen.«

Molly und ich waren verblüfft. Das war doch tatsächlich ein guter Plan! Was echt merkwürdig war, stammte er doch aus Karls Mund!

»Den Austausch übernehme ich«, bot sich Molly an.

»Warum kann ich das nicht machen?«, fragte Karl.

»Du hast doch schon den genialen Plan geliefert«, sagte ich.

»Ihr werdet mich nie was richtig Wichtiges machen lassen, stimmt's?«, jammerte Karl.

»Paul! Paul! Wie kann ich eine SMS verschicken? Paul?!« Omami tauchte auf der Türschwelle auf.

Das war hart. Hart, aber wahr.

Ich stellte ihr Molly und Karl vor. Ich erklärte Omami, wir würden Karl bei seinem Projekt für die bevorstehende Naturwissenschafts-Ausstellung helfen.

»Mein Projekt heißt: ›Wer hat den Dreh raus?‹«, sagte Karl. »Ich untersuche die Fähigkeit verschiedenster Sachen, sich in der Längsachse zu verdrillen – Obst, Gemüse, Spielsachen …«

Omami runzelte besorgt die Stirn. »Das heißt, du verdrehst alles, bis es kaputtgeht?«

Karl nickte eifrig.

»Du willst also eine SMS verschicken?«, ging ich dazwischen.

Omami holte ihr Handy aus ihrer Handtasche. »Ich hab eine Nachricht von so einem Volltrottel, der mich in Fleischsülze eintunken will.«

»Fleischsülze?«, echote Molly.

»Wenn das noch mal vorkommt, muss ich mir den Kerl wohl vorknöpfen«, sagte Omami.

Ich nahm ihr das Handy aus der Hand. »Du musst dem überhaupt nichts zurückschreiben. Ich werde einfach seine Nummer blockieren.« Ich löschte die SMS, blockierte Roy und gab Omami das Handy zurück. »So, erledigt.«

Omami lächelte Molly und Karl an und zog die Tür hinter sich zu. Kurz darauf hörten wir sie den Flur runterschlurfen, wobei sie vor sich hin murmelte: »Ich mach das. Ich bereite ihm Schmerzen.«

Molly sah mich durchdringend an. »Wieso schickt Roy eine SMS an deine Großmutter?«

»Roy? Wie kommst du darauf, dass es Roy war? Könnte doch auch irgendein anderer …«

Molly Super-Starr starrte mich in Grund und Boden.

»Ja, okay, es war Roy«, gab ich zu.

»Roy ärgert jetzt auch schon alte Omas?«, fragte Karl. »Mann, dann muss ich meine dringend warnen.«

Ich sah keine Chance, mich aus der Nummer rauszulügen. Aber ich konnte ihnen auch unmöglich die ganze Wahrheit erzählen. »Kann sein, dass ich Omamis Handy benutzt habe, um Roy ein paar SMS zu schicken«, sagte ich.

Molly schüttelte den Kopf. »Du hast dich als deine Großmutter ausgegeben?«

»Ich konnte doch nicht mein eigenes Handy benutzen«, sagte ich. »Dann hätte er gleich gewusst, wer ich bin. Und meine Nachrichten waren nicht gerade lieb und nett.« Molly starrte mich wieder an. »Okay, sie waren ziemlich fies. Fies genug, um Roy sauer zu machen. Sehr sauer.«

Jetzt waren Molly und Karl an der Reihe mit Blickwechseln.

»Ist doch nicht so schlimm!«, fuhr ich fort. »Er tut uns doch viel üblere Sachen an. Das ist nur ein klitzekleiner Versuch, ein bisschen mehr … für einen fairen Ausgleich.«

Molly sah mich lange an. Dann nickte sie. »Ich find's cool.«

»Ich auch«, sagte Karl.

»Echt??«

Molly lächelte. »Was hast du ihm denn genau geschrieben?«

Ich grinste. »Klopf klopf.«

»Wer ist da?«, fragte Karl.

»Amanda!«

»Amanda wer?«

»Amanda Dichknutscht!«

19. KAPITEL

Am Montagmorgen starteten wir Operation »Reue Royale«, indem ich mich wieder in mein Schließfach stopfen ließ. Und zwar diesmal mit Absicht.

Ich nahm ’nen Zombie-Arsch in Kauf, damit wir die Rucksäcke vertauschen konnten. Und ich kann mit Stolz vermelden, dass Roy inzwischen zwei Hände braucht, um mich ins Schließfach zu bugsieren.

Nach der Austauschaktion deponierten wir das Babyfon zusammen mit einem digitalen Recorder in meinem Fach und bedeckten beides zur Geräuschdämpfung mit einem Stapel Sportklamotten – nicht dass irgendein Sechstklässler durchdreht, weil er denkt, Emily hätte sich in den Schließfächern versteckt.

Dann trafen wir uns mit Mr. Dupree zu einer weiteren Informations-Sammel-Lektion. Wir wollten ja nicht, dass er erfährt, dass wir uns nun auf eigene Faust an Roys Fersen geheftet hatten. Er musste weiter im Glauben belassen werden, wir wären hilflos und verzweifelt.

Langsam konnten wir unsere Rollen echt ganz gut.

Nach der Schule schnappten wir uns Babyfon und Recorder und versteckten uns hinter dem Fußballfeld, um uns Roys Tag anzuhören.

Als wir das Gerät einschalteten, hörten wir als Erstes Beckys Stimme: »Gleiche Zeit, gleicher Ort?« Und dann sagte Roy: »Ja, dann bis nach der Schule.«

»Wusste ich's doch! Du stehst auf sie!«, sagte Molly und kniff mich in den Arm. »Aber unser Ziel ist es, Roy auszuschalten, nicht deine blöde Freundin zu retten. Kapiert?«

»Kapiert«, sagte ich. Dann sah ich, dass Karl von einem Ohr zum anderen grinste. »Was ist, Karl?«

»Du hast eine Freundin«, sagte er. »Und Molly hat eine … eine …«

»Eine Mission«, sagte Molly.

»Und ich hab meinen Wellensittich, meine Urzeitkrebse …«, fuhr Karl fort.

Und dann stürzte er sich auf uns.

»Tu das bitte nie wieder«, sagte ich, als er uns wieder losließ, und Molly nickte dazu.

Aber Karl grinste nur. »Mal schauen.«

Schnell schaltete ich den Recorder wieder ein. Und dann erfuhren wir so einiges über Roy. Die meisten Sachen wussten wir allerdings schon, zum Beispiel …

… dass Roy in der verbalen Überredungskunst sehr bewandert ist.

… dass Roy weit gereist und kulinarisch anspruchsvoll ist.

Aber es kamen auch Sachen zutage, die wir noch nicht wussten. Zum Beispiel, dass er nicht besonders gut lesen kann.

Er verwechselt gern mal Zahlen und Buchstaben.

Und er hat richtig, richtig doll Angst, etwas zu verlieren, was ihm richtig, richtig doll viel bedeutet.

Ich schaltete das Gerät aus. Wir starrten stumm auf unsere Schuhspitzen.

Karl rieb sich den Bauch. »Irgendwie ist mir auf einmal ganz komisch innen drin.«

»So viel Informationen hätte ich eigentlich gar nicht haben wollen«, sagte Molly.

»Mr. Dupree hatte recht«, sagte ich. »Manchmal ist zu viel oder zu wenig Information echt gefährlich.«

Roy hatte das Unmögliche geschafft. Jetzt hatten wir alle Mitleid mit ihm.

Molly drückte auf den Wiedergabeknopf.

Hastig schaltete Molly das Gerät wieder aus.

Karl schüttelte den Kopf. »Ich hab mir die Schuhe einmal mit einem dreifachen Knoten zugeknotet und musste sie dann wegschmeißen.«

»Wer ist Max?«, fragte Molly.

Und in dem Moment wurde mir eines klar: Roy war vielleicht die Wurzel allen Übels, aber eigentlich war Max derjenige, der viel dringender Hilfe brauchte.

»Max ist ein Opfer. Und was sind wir?«, sagte ich.

Molly und Karl guckten mich fragend an.

»Wir sind die Opfer-Retter!«, sagte ich.

»Die Opfer-Retter«, wiederholte Molly.

»Wie auch immer«, sagte ich. »Der Punkt ist: Wen interessiert's, dass Roy nicht lesen kann? Wir müssen ihn aufhalten! Wir müssen Max helfen!«

Molly nickte und drückte wieder auf den An-Knopf.

»Dann tunke ich ihn in Thunfisch«, fuhr Roy fort, »und schmeiße ihn hinter der Fressmeile in den Müllcontainer, in dem die Katzen immer wühlen.«

Molly schaltete das Gerät wieder aus.

»Da sind ein paar Katzen dabei, die eine ganze Kuh reißen könnten!«, sagte Karl mit weit aufgerissenen Augen.

Das war zwar dämlich, aber ich stieg trotzdem drauf ein. »Noch ein Grund mehr, Max vor Roy zu retten«, sagte ich.

»Aber wie?«, fragte Molly.

»Dr. Daniels' Büro. Roy hat doch erzählt, er hätte Angst, das … was auch immer zu verlieren. Wenn wir rausfinden könnten, was das ist, könnten wir …?«

»Könnten wir was?«, bohrte Molly.

»Könnten wir es ihm wegnehmen. Und es ihm nur zurückgeben, wenn er aufhört, uns zu tyrannisieren.«

»Aber wir wissen ja gar nicht, was das für ein Ding ist«, sagte Molly.

»Aber Dr. Daniels weiß es«, entgegnete ich. »Und wenn sie es weiß –«

Molly nickte. »Dann steht es in seiner Akte!«

»Da sind aber keine Aktfotos drin, oder?«, fragte Karl.

»Okay, dann ist alles klar«, sagte ich. »Wir müssen ins Psycho-Büro einbrechen und Roys Akte klauen.«

Karl blinzelte verängstigt. »Ich meine, ich würde Roy nur ungern nackich sehen. Und ich will auch nicht, dass von *mir* Aktfotos da drin sind.«

»Und ich weiß auch schon, wie wir da reinkommen, ohne dass jemand was davon mitkriegt«, fügte ich hinzu.

»Nämlich?«, fragte Molly.

Karl drehte langsam durch. »Stellt euch mal vor, ich werde später mal berühmt, als Erfinder der ersten Schwerelosigkeits-Hüpfburg, und dann finden Reporter die Nacktfotos in meiner Schulakte und verbreiten überall, dass ich …

Zu spät.

20. KAPITEL

Warum ich wusste, wie man in Dr. Daniels' Büro einbrechen konnte? Weil ich es schon mal getan hatte. Ich hatte eine ihrer dämlichen Therapie-Handpuppen gegen einen sehr viel interessanteren Gesprächspartner für meine häufigen Sitzungen ausgetauscht.

An der Wand hinter Dr. Daniels' Schreibtisch befindet sich ein Lüftungsschacht, der zu einem anderen Lüftungsschacht im Jungsklo im ersten Stock führte. Eines Tages war ich nach der Schule da reingekrabbelt, war ins Psycho-Büro runtergesprungen und hatte den Puppentausch perfekt gemacht.

Meine Therapiestunden waren seitdem sehr viel lustiger.

Operation »Reue Royale«, Phase 1: Bruch-macht-kluch – in der wir Roys Akte

entwenden wollten – war für Ende der Woche geplant, nach der Schule.

Der Plan war ganz einfach:

Was sollte da schon schiefgehen?

21. KAPITEL

Bis zum Ende der Woche trafen wir uns vor der Schule weiterhin mit Mr. Dupree. Wir sorgten dafür, dass er unsere *Nicht*-Fortschritte in Sachen Spionage-Kunst bemerkte.

Am Abend vor dem geplanten Einbruch nutzte ich den Umstand, dass Omami ihre Lieblings-Reality-Show *Die Waisen* verschlief, um auf ihrem Handy Roys

Nummer zu aktivieren und noch ein Mal den Max zu machen:

Max: Roy, du bist so doof, du kochst Eier inner Mikrowelle.
Roy: Du bist so doof, du weißt gar nicht, dass das geht.

»Echt, das geht?«, sagte ich laut.

Ach, der log doch bestimmt. Aber nachdem ich Roys Nummer wieder gesperrt hatte, beschloss ich, dass es bestimmt lustig wäre, es rauszufinden. Gerade als ich

die Mikrowelle eingeschaltet hatte, schickte Becky mir eine SMS.

Becky: Gibt keinen Schachclub morgen. Treffen uns nach der Schule.
Max: Da hab ich Astronomie-Wahlkurs.
Becky: Am Nachmittag??

Erwischt! Schon wieder!

Becky: Morgen oder nie.

Und was sollte ich jetzt tun? Max konnte sich doch unmöglich mit Becky treffen. Hinhaltetaktik war angesagt. Aber wie?

Da fiel es mir wie Schuppen von den Augen. Okay, als Max konnte ich Becky nicht treffen. Aber als Max' bester Freund. Als …

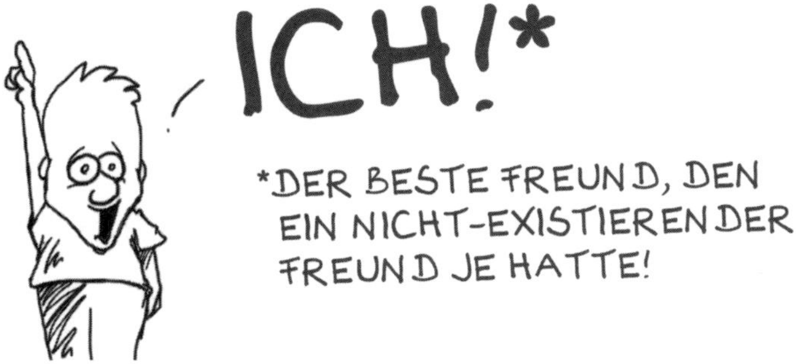

Max: Ok. Morgen nach der Schule beim Schild.

Becky: *biba :–)*

Dann dachte ich: *Moment mal, war da nicht was nach der Schule? Sollte ich da nicht …? OH-OH.*

22. KAPITEL

Ich hatte einen Plan. Und es war ein guter Plan. Nein, ein hervorragender Plan. Einer der besten Pläne, die in der Geschichte der Pläne je geschmiedet worden waren. Locker in den Top 50.

Es war so einfach. Ich würde mich direkt nach der Schule ein paar Minuten mit Becky treffen, ihr erzählen, dass Max schüchtern war und deswegen mich, seinen besten Freund, geschickt hatte. Dann würde ich zu Molly und Karl eilen und mit ihnen ins Psycho-Büro einbrechen.

Bester Plan überhaupt, stimmt's? Eben nicht.

»Du bist nicht Max«, sagte Becky.

Ich schüttelte den Kopf.

»Du bist der Typ, der die verrückte Nummer mit dem Freak gebracht hat. Du und Roy habt … Probleme.«

Ich nickte.

»Warum kannst du nicht reden? Bist du krank oder was?«

»Kehlkopfentzündung?«

Ich nickte eifrig.

Becky runzelte die Stirn. »Max will wohl nicht mit mir gesehen werden.«

Nein! Das stimmte ja nicht! Max, ich meine, ich, ich meine, WIR, wollen sehr wohl mit ihr gesehen werden!

Becky drehte sich weg, um zu gehen. Ich konnte sie nicht weglassen, aber wie hätte ich ihr alles erklären können? Ich musste etwas unternehmen. Also sprang ich ihr in den Weg und hielt die Hände hoch. Als ich meine Hände so anschaute, kam mir eine Idee.

Ich konnte es ihr vormachen. Wie beim Pantomime-Spielen. Omami und ich spielen das ständig.

Also zeigte ich Becky den *ungefähren* Grund dafür, warum Max nicht erschienen war.

Becky lächelte. »Wenn Max so nett ist wie du, braucht er doch keine Angst zu haben.«

Sie hielt Max also für nett. Sie hielt *mich* für nett. Und da es keinen Max gibt, war ich also der Einzige, der das ganze Nettsein abbekam.

Ich überlegte, dass dies für Max vielleicht der perfekte Moment war, sich eine tödliche Krankheit einzufangen, die sein Gesicht aufs Übelste verunstaltete.

Bevor Becky sich verabschiedete, tauschten wir Handynummern aus, für den Fall, dass sie mich brauchte, um mit Max Kontakt aufzunehmen.

Als sie gerade weg war, summte mein Handy. Es war eine SMS von Molly, mit Foto.

Molly: Wo bistu??? WIR BRAUCHEN DICH!

23. KAPITEL

Ich hatte Molly und Karl nicht mit Absicht vergessen. Das war ein Versehen. Ich war abgelenkt gewesen. Es war einfach zu viel, was ich zurzeit jonglieren musste.

Das wollte ich Molly alles erklären, als ich zum Heizungsschacht über Dr. Daniels' Büro kam, aber sie war nicht in der Stimmung. Sie hatte alle Hände voll zu tun.

»Was ist denn hier los?«, fragte ich.

»Du warst nicht rechtzeitig da! Also haben wir ohne dich angefangen.«

»Hättet ihr die fünf Minuten nicht warten können?«

»Karl hat gleich seinen Tanzkurs.«

Karl sah zu uns hoch. »Jazzdance und Stepptanz.«

»Der Schacht ist doch nur eins fünfzig über dem Boden«, sagte ich. »Wieso ist er nicht einfach runtergesprungen?«

»Weil er Höhenangst hat!«

»Das ist doch keine Höhe! Das ist ein Hüpfer!«

»Er hat darauf bestanden, dass ich ihn abseile. Aber dann war da plötzlich diese Spinne.«

»Spinnen sind fies«, betonte Karl.

Ich schaute Molly an. »Du bist doch größer als der Abstand zwischen Schacht und Boden! Warum bist *du* nicht da rein?«

»Karl wollte es unbedingt selber machen.«

Karl schaute zu uns hoch. »Ihr lasst mich ja nie was machen!«

Wir brauchten ein paar Minuten, um Karl zu entwirren. Gerade als er in den Schacht zurückklettern wollte, damit ich übernehmen konnte, hörten wir, wie sich ein Schlüssel in der Bürotür drehte.

»Karl, versteck dich!«, raunte ich.

Karl hechtete hinter einen Haufen Therapie-Handpuppen, die in der Ecke lagen. Keine Sekunde zu früh – Dr. Daniels kam schon zur Tür herein.

Sie sah sich um, als hätte sie etwas gehört. Dann blieb sie stehen und musterte den Puppenhaufen. Molly und ich hielten den Atem an. Dr. Daniels blinzelte ein paarmal, dann schüttelte sie den Kopf, als wollte sie irgendwelche Halluzinationen verscheuchen.

Schließlich nahm sie eine Akte vom Schreibtisch, verließ den Raum und schloss wieder hinter sich ab.

Endlich konnten Molly und ich ausatmen.

»Karl, komm wieder hoch, ich such die Akte selber!«, sagte ich.

»Nein!«, tönten Molly und Karl wie aus einem Mund.

»Wir bringen das hier allein zu Ende«, sagte Molly. »Du kannst ja meinetwegen wieder zu deiner *Freundin* gehen.«

»Ich war nicht bei …«

»Lügner!«

Mann, die war ja genau wie Mom. War diese Hirn-Ausquetsch-Kiste eine allgemeine weibliche Fähigkeit, oder wie?

»Woher wusstest du das?«, fragte ich.

»WEIL DEINE LIPPEN SICH BEWEGT HABEN!«

»Hey, Leute, ich hab Roys Mappe!«, rief Karl.

Molly und ich schauten nach unten. Roys Akte war in etwa so dick wie das große Lexikon in der Schulbücherei. Das, in dem man nur blättert, wenn man Wörter finden will, die man nie laut aussprechen könnte.

»Jetzt musst du jede Seite mit deinem Handy abfotografieren«, flüsterte Molly.

»Nein, das würde viel zu lange dauern«, sagte ich. »Such nur die Notizen raus, die Dr. Daniels zu den Sitzungen macht. Das sind die gelben Blätter.«

»Nein, die blauen«, verbesserte mich Molly. »Die gelben sind Vorfall-Berichte.«

»Stimmt nicht«, sagte ich. »Die blauen sind Überweisungs-Empfehlungen.«

»Die sind lila!«

»Grün!«

»Ich bin hier wesentlich öfter als du!«

»Soll das ein Witz sein? Ich wohne hier!«

Karl begann, eine Seite vorzulesen. »›Heute hat mir Roy von seiner größten Angst erzählt …‹«

»Das ist es!«, rief ich.

»Los, weiter, weiter!«, drängte Molly.

Karl schaltete sein Handy ein und begann zu fotografieren. Nach der ersten Seite hielt er inne und schaute hoch.

Molly Super-Starr richtete sofort ihren Laserblick auf mich.

»Hey, ich kann doch nichts dafür, dass sein Handy tot ist!«, protestierte ich.

»Doch. Wärst du nicht zu spät gekommen, weil du mit Becky rumpoussiert hast, hätte Karls Akku noch Saft gehabt.«

»Ok, ich bin also an allem schuld. Bist du jetzt zufrieden?« Ich holte mein Handy aus der Tasche und wollte es Karl reichen. »Er kann meins benutzen.«

Als Karl gerade danach griff, hörten wir draußen vor der Tür jemanden singen.

Hello again, ich sag einfach hello again, trällerte Mr. Dupree.

»Karl, komm da raus! Sofort!«, raunte ich.

Molly und ich packten Karl bei seinen ausgestreckten Armen und zogen ihn hoch.

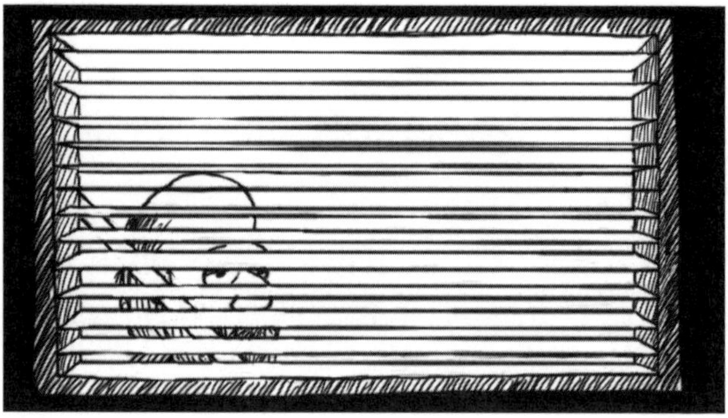

Wir hatten das Gitter wieder vor die Schachtöffnung gelegt, als Mr. Dupree die Tür aufschloss und pfeifend das Büro betrat, einen Wischeimer vor sich herschiebend.

Dann blieb er plötzlich stehen.

Wir kauerten im Schacht und hörten, wie Mr. Dupree sich uns näherte. Ich spähte durchs Gitter – er sah sich im Zimmer um. Und gerade als er zum Schacht schauen wollte …

Der Rasensprenger! Mr. Dupree wirbelte zum Fenster herum. »Wieso ist das Ding denn an?«, murmelte er, schüttelte den Kopf und verließ pfeifend den Raum.

Als wir uns auf den Rückweg machten, sagte erst einmal niemand etwas. Irgendwann dachte ich, ich müsste dringend die Stille durchbrechen.

24. KAPITEL

Wirklich, so übel war das nicht gewesen. Wir waren alle heil wieder rausgekommen. Wir hatten Aufnahmen von Roys Akte. Ok, Karl hatte vorübergehend seine Hose verloren, aber das passierte doch fast täglich. Mission erfüllt.

Molly war da anderer Meinung. Auch wenn sie nichts sagte. Als wir draußen waren, stampfte sie nur mit finsterem Blick davon. Nach ein paar Schritten blieb sie stehen, schaute zurück und sagte: »Kommst du, Karl?«

Karl war total verwirrt.

Aber er konnte Molly Super-Starr keinen Widerstand entgegensetzen. Also folgte er.

Ich zuckte mit den Schultern und dachte: *Die kriegt sich schon wieder ein. Es gibt nichts, wofür ich mich entschuldigen müss-*

te. Ich war sogar froh, dass ich zu spät gekommen war. Sonst hätte ich ja nie rausgefunden, dass Becky mich mochte. Also, ich meine, Max. Ich meine …

»Die sehen aber angesäuert aus«, ertönte Mr. Duprees Stimme hinter mir.

Ich wirbelte herum. Mr. Dupree zeigte auf Molly und Karl, als er zu mir aufschloss, einen langen Schlauch mit Spritztülle hinter sich herziehend. »Alles ok bei euch?«

»Die haben nur keine Lust mehr aufs Training«, log ich. »Sie wollen endlich wieder mit dem Wachdienst loslegen.«

Mr. Dupree lächelte. »Süß ist der Nutzen aus der Widrigkeit.«

Ich hatte mal wieder null Ahnung, wovon er redete.

»Wusstest du, dass ich mal Champion im Daumen-Wrestling war?«, fragte er.

Woher sollte ich das wissen?, dachte ich. *Wieso sollte überhaupt irgendjemand so was wissen?*

»Ich war flink, geschmeidig und kräftig. Einmal hab ich im Daumen-Bankdrücken hundertsiebzig Pfund geschafft. Und weißt du, wie ich zum Champion im Daumen-Wrestling wurde?«

Ich verdrehte die Augen.

»Indem ich *kein* Daumen-Wrestling gemacht habe.

Mein Trainer, der berühmte Mo Gatsby, hatte es mir verboten. Er ließ mich Daumen-Kreisen, Daumen-Liegestütze und Daumen-Kniebeugen machen, bis ich dachte, mir fällt gleich der Daumen ab. Aber kein Wrestling.«

»Er ließ mich im Kampf um einen Wollfaden gegen seine dreibeinige Katze antreten. Otis war echt schnell, aber ich war schneller.«

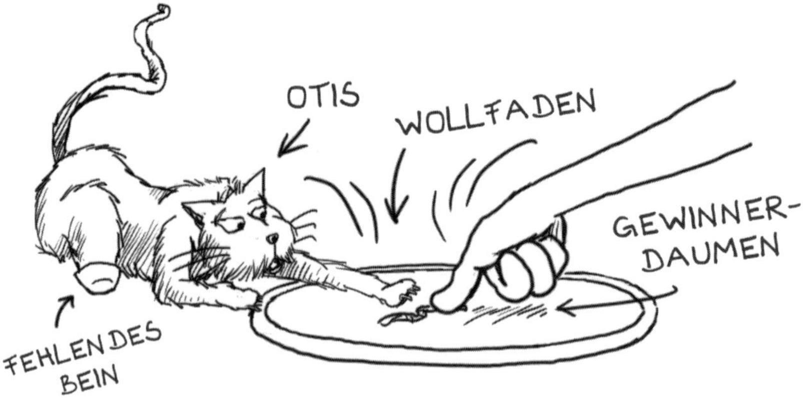

»Erst nach vielen Monaten durfte ich endlich im Zweikampf antreten«, fuhr Mr. Dupree fort. »Und zwar gegen Trainer Gatsby persönlich. Anfangs legte er meinen Daumen innerhalb von Sekunden auf die Matte, aber mit der Zeit wurde ich immer besser. Und als er dann eines Tages zu einem Doppelnelson-Nagelbeißer ansetzte, konterte ich mit einem Kobyashi-Knöchel-Zieher und setzte ihn außer Gefecht.«

»Also ließ er Sie von da an Wettkämpfe bestreiten?«, fragte ich.

Mr. Dupree nickte. »Ich musste erst den Weg unter seinem Daumen raus finden, bevor ich selber obenauf sein konnte. Alles eine Frage der Kontrolle.«

Ich stöhnte.

»Ist die Wahrheit.«

»Oder wieder so eine Lüge, die die Wahrheit sagt.«

»Ah, so langsam beginnst du zu verstehen.«

»Ich habe kein Wort von dem verstanden, was Sie erzählt haben.«

Mr. Dupree stapfte lächelnd über den Rasen. »Keine Sorge, du kommst schon noch drauf.«

Während ich Mr. Dupree dabei zusah, wie er mit dem Schlauch herumfuchtelte, überlegte ich, ob der Mann vielleicht *zu* merkwürdig tut. So als wollte er uns glauben machen, dass er verrückt ist, aber in

Wirklichkeit ist er es gar nicht. Als würde er uns doch irgendwie helfen wollen, trotz allem. Weil er vielleicht weiß, was wir vorhaben und nur so tut, als wollte er uns davon abhalten. Vielleicht hatte er ja die ganze Zeit gewusst, dass wir in Dr. Daniels' Büro waren, und hatte den Rasensprenger irgendwie losgehen lassen, damit wir unbemerkt wieder wegkamen.

Vielleicht steckte er doch hinter dem ganzen Emily-Zeug. Was, wenn *er* Emily war? Wenn er ***schon immer*** Emily gewesen war?

Und genau in diesem Moment schoss das Wasser aus dem Schlauch raus und klatschte ihm voll ins Gesicht.

Und da dachte ich, *nein, vielleicht doch nicht*.

25. KAPITEL

Zu Hause war Omami wieder dabei, Janice zu hypnotisieren.

Und sie war weiterhin sehr erfolglos dabei. Ich wollte gerade in mein Zimmer, als Omami sagte: »Warte mal. Ich hab noch so eine Nachricht von diesem Rüpel gekriegt.«

Sie zeigte mir ihr Handy.

Roy: Ich find dich. Und dann reiß ich dir die Milz raus.

»Aber ich hab seine Nummer blockiert«, sagte ich.

»Und ich hab sie wieder aktiviert«, sagte Omami.

»Wozu das denn?«

»Wer weiß, vielleicht setzt er ja auch anderen alten Damen zu. Dieser Typ muss gestoppt werden!«

Ich versuchte, Omami davon zu überzeugen, dass er nur eine falsche Nummer ansimste. Außerdem hegte ich ernsthafte Zweifel daran, dass Roy überhaupt wusste, was eine Milz war und wo sie sich befand.

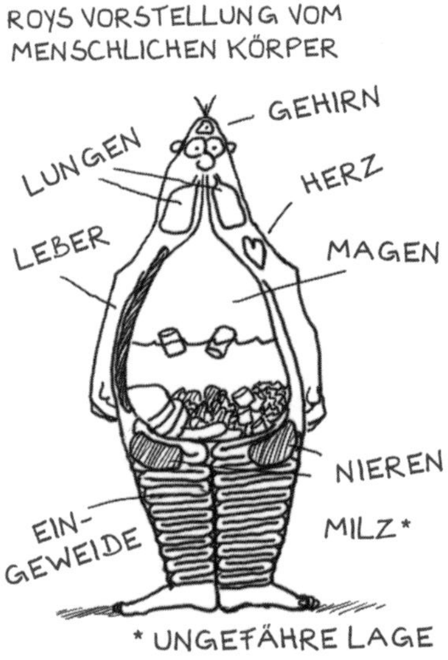

Aber es war zu spät. Omami hatte ihm bereits zurückgeschrieben.

Max: Sie sind ein ungehobelter Kerl, Sir. Sie sollten sich was schämen, dass Sie anderer Leute Organe bedrohen. MEINE Milz. Wie würden Sie sich fühlen, wenn ich Ihnen mit der Zerstörung IHRER Milz drohen würde? Schönen Tag noch!

»Der wird sich's zwei Mal überlegen, ob er sich weiter mit mir anlegt«, sagte Omami.

Falls er überhaupt bis zwei zählen kann, dachte ich.

26. KAPITEL

Später am Abend schlief Omami vor *Hut tut Vater Kater gut* auf dem Haustier-Kanal ein.

Ich schnappte mir ihr Handy und rannte nach oben. Und direkt in Mom rein.

»Warum so in Eile?«

»Muss lernen. Morgen wichtiger Test.«

»Welches Fach?«

»Ähm … Sozialkunde.«

»Und worum geht's?«

Mann!, dachte ich. *Die ist ein echter Mompir, saugt mir jede noch so unwichtige Info raus.*

»Ähm … um so Rituale, die man durchlaufen muss, um zu einer bestimmten Bevölkerungsgruppe zu gehören.«

»Ah, Initiationsriten«, sagte Mom. »So ähnlich wie die Sachen, die du in der Schule über dich ergehen lassen musstest, was?«

Wie bitte? Die kann doch unmöglich wissen, was da los ist, oder?, dachte ich. *Ich meine, sie ist zwar eine Mutter, und Mütter haben Superkräfte, aber trotzdem.*

»Ich meine, so ähnlich wie das, worüber du mit Dr. Daniels sprichst, vielleicht?«

»Ach so«, sagte ich. Puh. Sie wusste also gar nichts.

»Ich wollte damit nur sagen, so was kann ziemlich Furcht einflößend sein«, sagte sie.

»Ja«, gab ich ihr recht. Und dieses eine Mal war das keine Lüge.

»Okay, dann will ich dich nicht weiter aufhalten. Falls du Hilfe brauchst, sag Bescheid.«

Ich schob mich an ihr vorbei in mein Zimmer und machte die Tür hinter mir zu.

Und schickte sofort eine SMS an Becky.

Max: Sorry, dass ich heute nicht da war.

Becky:. Schon ok, dein Freund hat mir alles erklärt.

Max: Ja. Cool.

Becky: Weißt du, gibt keinen Grund, schüchtern zu sein.

Max: Hatte nur Sorge, dass du mich doof findest.

Becky: Wieso, haste 2 Köpfe, oder was?

Max: Ha. Nee, nur 1.

Becky: Den würde ich gern mal sehen, wenn du so weit bist.

Max: Ok. Bald.

Becky: Aber wart nicht zu lange. Mit jemand, der mich nicht sehen will, kann ich nicht befreundet sein. N8!

Ich schaute vom Handy hoch. *Und was mache ich jetzt?*, dachte ich.

Da summte mein eigenes Handy los. Karl hatte mir

ein Foto geschickt – von der Tarnung, mit der er am nächsten Tag zum Wachdienst-Training erscheinen wollte.

Karl ist echt bekloppt. Aber irgendwie total genial bekloppt.

27. KAPITEL

Und wieder mal hatte ich einen tollen Plan. Einen unglaublichen Plan. Einen genialen Plan. Nein, einen tollunglaubgenialischen Plan.

Ich würde Becky das geben, was sie wollte. Nach der Schule würde sie endlich Max kennenlernen. Sozusagen.

Aber erst mal musste ich die Sache mit Molly und Karl wieder in Ordnung bringen. Als ich in der Schule ankam, saßen sie gemeinsam vor Mollys Schließfach. Und sahen nicht gerade happy aus.

»Das ist alles nur deine Schuld«, maulte Molly.

»Was hab ich denn jetzt schon wieder getan?«, fragte ich.

»Wir wissen immer noch nicht, was Roy Angst einflößt.«

»Wieso?«

»Wir haben nicht die richtige Seite«, sagte Karl.

»Wenn ich mal zusammenfassen darf«, sagte Molly. »Karl hat sich verheddert. *Weil du zu spät dran warst.* Dann hat es so lange gedauert, ihn zu entwirren, dass sein Akku leer war. *Weil du zu spät dran warst.* Mr. Dupree kam rein, bevor Karl dein Handy benutzen konnte. *Weil du zu spät dran warst. Weil du mit deiner Freundin beschäftigt warst. Weil du immer nur an dich selber denkst und an niemanden sonst!*«

Das stimmt nicht. Ich denke viel an andere Leute. Zum Beispiel an Max. Ok, der existiert nicht wirklich, aber immerhin, wenn ich an ihn denke, denke ich nicht an mich selber.

»Aber wir haben immerhin einen Hinweis«, sagte Karl und zeigte mir das Bild, das er von Roys Akte gemacht hatte.

»Das Baumhaus!«, rief ich. »Ist doch cool. Das, was er am meisten zu verlieren fürchtet, befindet sich in seinem Baumhaus. Also brauchen wir es nur dort rauszuholen.«

»Nein«, knurrte Molly. »DU holst nirgendwo mehr was raus. Nicht nach dem, was gestern passiert ist. Wir haben abgestimmt, es steht zwei gegen einen. Wir checken heute Nachmittag das Baumhaus ab. Und zwar Karl und ich. Allein!«

»Bestens!« Ich tat so, als würde ich wütend davonstapfen. Denn insgeheim war ich dankbar dafür, dass

ich nicht mitmusste. Ich würde nicht zulassen, dass mir irgendwas das Treffen mit Becky vermasselte, egal was.

28. KAPITEL

Nach der Schule gingen Molly und Karl also Roys Baumhaus abchecken und ich folgte Becky nach Hause.

Und ich muss sagen, ich machte mich echt gut als unsichtbarer Verfolger.

Zumindest blieb ich für Becky unsichtbar.

Nur ein paar Straßen von der Schule entfernt bog sie ab und ging auf ein zweigeschossiges Haus zu. Dort stieg sie auf die Veranda hoch und klingelte. Was ziemlich komisch war – wer klingelt schon an seiner eigenen Haustür?

Die Tür ging auf und Becky wurde eingelassen. Ich schlich mich hinter einen Zaun und zwängte mich in meinen Tarnanzug.

Gerade als meine Verwandlung in Max abgeschlossen war, hörte ich eine Tür zuknallen. Ich spähte um den Zaun – Becky stand im Hinterhof. Jetzt oder nie! Ich wählte Jetzt.

Becky starrte mich an. »Max?«

Sie sprach es aus, als wäre ich eine Art außerirdischer Sandfloh, auf den sie getreten war.

»Du hattest recht!«, sagte ich. »Wie sollen wir Freunde sein, wenn wir uns nie persönlich treffen? Also dachte ich, ich komme einfach zu dir.«

Becky schnappte nach Luft. Und es war kein erschrockenes Schnappen, eher so ein *Willst-du-mich-verarschen?*-Schnappen. Wie wenn deine Mutter dich dabei erwischt, Marshmallows überm Gasherd zu rösten.

»Aber ich wohne doch gar nicht hier«, sagte Becky leise.

»Wer dann?«

»Becky, bist du das?«, tönte da eine viel zu vertraute Mutanten-Troll-Stimme aus dem Haus.

»Äh … ja«, presste Becky hervor.

»Roy wohnt hier!«, flüsterkreischte ich. »Das kann doch nicht sein! Wo ist das …?«

Mir rutschte das Herz bis in die Socken runter. Ich sah Becky verdutzt an. »Aber was machst *du* dann hier?«, fragte ich.

»Ich gebe Roy Nachhilfe.«

Sie gibt Roy Nachhilfe. Klar, natürlich gibt sie Roy Nachhilfe. So ist sie – genau die Sorte Mädchen, die fiesen Mutanten-Trollen Nachhilfe gibt.

Becky schaute auf meine Bauklotz-Schuhe herunter. »Was hast du denn an den ...?«

»Ich bringe jetzt die Limonade raus!«, brüllte Roy.

»Du musst dich verstecken!«, raunte Becky mir zu. »Roy kann es nicht leiden, wenn andere Leute zu ihm kommen. Los! Versteck dich, schnell!«

»Wo denn?«, fragte ich.

Aber da war Becky schon weg. Ich schaute mich hektisch um, aber es war wirklich keinerlei Versteck zu sehen.

So schnell ich konnte, stakste ich auf das Baumhaus zu. Irgendwie schaffte ich es bis zur Leiter, ohne mich auf die Fresse zu packen. Dann machte ich mich an den Aufstieg.

Als ich oben angekommen war, schnappte mich plötzlich jemand beim Arm und zerrte mich hinein.

Es war Molly. Karl lag neben ihr auf dem Bauch und umarmte den Boden des Baumhauses.

Molly war alles andere als begeistert über mein Erscheinen. »Was hast du hier zu suchen?«, fragte sie. »Und ist das etwa eine Augenklappe?«

»Bist du mit einer Schere rumgerannt und hast sie dir aus Versehen ins Auge gestochen?«, fragte Karl, immer noch an den Boden gepresst.

»Was? Nein.«

»Oh.« Er klang enttäuscht. »Du solltest eine Augenverletzung nicht einfach so vortäuschen. Das ist gemein gegenüber Leuten, die wirklich ein Auge verloren haben.«

»Das ist meine Tarnung!«, keifte ich.

»Und als was hast du dich verkleidet?«, fragte Molly.

»Ist doch egal jetzt. Seid einfach still, sonst hört uns Roy noch.«

»Moment mal«, fuhr Molly fort. »Du würdest doch nur verkleidet zu Roy kommen, um …«

»… ihm mit deinem Fake-ausgestochenen-Auge Angst einzujagen!«, sagte Karl.

»Es. Ist. Kein. Fake …«

»Um Becky zu treffen!«, rief Molly. »Du bist nicht als Paul hier. Also?«

»Max! *Ich* bin Max! Okay? Und jetzt halt bitte endlich die Klappe!«

»Boah! Du bist Max?!«

»Wer ist Max?«, fragte Karl.

Molly zeigte auf mich. »Der Typ, den Roy in den Müll stopfen will!«

Karl schüttelte langsam den Kopf. »Die Katzen schlecken dir echt das Gesicht weg. Die haben Zungen wie kleines rosa Sandpapier.«

»Max ist auch der Typ, der Roy vom Handy seiner Großmutter aus mit SMSen foltert.«

Karl riss wieder die Augen auf. »Boah, dann bist du ja ein Doppelagent mit Fake-ausgestochenem-Auge!«

»Klappe!« Ich schaute mich nach einem Fluchtweg um. Aber das Baumhaus hatte nur eine Tür und ein Fenster. Und auf dem Boden lag neben Molly …

»Das ist doch dieses komische Schwein aus so ’ner Kindersendung«, sagte ich. »Ist das etwa …?«

»Oinkdexter«, sagte Molly. »Und ja, das ist Roys Supergeheimnis. Wärst du nicht aufgekreuzt, wären wir längst mit dem Schwein hier raus.«

Bevor ich mir Gedanken darüber machen konnte, was an einem Plüschschwein so kostbar sein sollte, hörte ich Becky draußen brüllen: »Roy, komm, wir machen die Hausaufgaben hier unten! Nicht im BAUMHAUS!«

Aber zu spät. Roy kletterte schon die Leiter hoch.

Ich zeigte aufs Fenster. »Da raus! Schnell!«

Molly und ich stürzten ans Fenster, aber Karl rührte sich keinen Millimeter.

Ich drehte mich zu Molly um. »Wir müssen hier raus!«

Sie schüttelte den Kopf. »Wir lassen Karl nicht allein zurück.«

Roy war, so wie es sich anhörte, schon direkt vor der Baumhaustür.

»SPINNE! An deinem Kopf!«, schrie Molly plötzlich Karl an.

»Aaaaahhhh!«, kreischte er und sprang auf.

Ich sah Molly an. »Sehr beeindruckend.«

Molly grinste. »Was meinst du, wie ich ihn überhaupt hier raufgekriegt hab?«

Karl stürzte auf uns zu und wäre fast aus dem Fenster gesprungen. Er hatte sich gerade rausgequetscht, als Molly rief: »Das Schwein!«

Ich hechtete zurück ins Baumhaus und schnappte mir das Plüschding.

»Hey!«, brüllte Roy. »Was machst du da?« Dann starrte er auf meine Hand, die Oinkdexter umklammert hielt. »NAAAAIIIIN!«, schrie er.

Er stürzte sich auf mich, fiel aber der Länge nach

hin. Er versuchte sich aufzurappeln, aber Becky hielt ihn am Fuß fest und sagte: »Roy, nicht! Lass Max in Ruhe!«

»Max? Du bist Max?«, knurrte Roy.

Ich antwortete nicht. Ich war damit beschäftigt, einen Fluchtweg auszuarbeiten. Aber wir saßen nun mal fest, auf einem Ast, der nirgendwohin führte. Die Lage schien hoffnungslos. Doch dann …

Der Ast neben uns führte bis über die tiefe Seite des Pools im Nachbargarten. Bis zum Wasser waren es nur zwei Meter oder so, aber natürlich fing Karl gleich wieder an zu hyperventilieren.

Molly sah ihm ruhig in die Augen. »Stell dir einfach vor, dass hinter dir mehr Spinnen sind als vor dir«, sagte sie.

Karl nickte. Dann begann er zur Astspitze zu rutschen, Molly ihm dicht auf den Fersen. Der Ast neigte sich unter ihrem Gewicht.

Ich wollte ihnen folgen, da legte sich eine Mutanten-Troll-Hand schwer auf meine Schulter. »Max, Vorsicht!«, rief Becky.

Ich wirbelte herum – und fand mich Nase an Nase mit Roy. Ohne zu zögern, schnappte er nach Oinkdexter. »Das ist meins!«

Ich hielt das Schwein so fest, dass Roy uns beinahe beide durchs Fenster wieder reingezogen hätte.

»Max, lass ihm das Ding, bitte«, flehte Becky.

»Nein!«, schnaubte ich. Ich würde doch nicht freiwillig auf das einzige Druckmittel verzichten, das Roy davon abhalten konnte, mich immer und immer wieder in mein Schließfach zu stopfen.

Aber Roy war einfach zu kräftig für mich. Gerade als ich schon fast durchs Fenster reingesogen wurde, zerrte ich noch einmal und …

Keuchend lockerte Roy den Griff. Das war meine Gelegenheit! Ich spannte die Beinmuskeln an und stemmte mich gegen den Ast.

Ich hatte gewonnen! Ich hatte das Schwein! Ich …

Prustend kamen wir alle drei wieder an die Oberfläche. Die Bauklötze zogen mich nach unten, also zerrte ich sie mir von den Füßen. Dann schwammen wir zum Poolrand, hievten uns raus und rannten weg.

Roys Schreie gellten noch lange hinter uns her. »Oink-dexter! Oink-dex-teeeerr!«

Er klang, als hätte er schlimme Schmerzen. Anscheinend wollte er das Schwein wirklich um jeden Preis zurückhaben. Fast tat er mir leid.

Aber nur fast.

29. KAPITEL

Erst vier Straßen weiter machten wir Halt, triefnass und vor Anstrengung keuchend.

Wir setzten uns auf die Seilschaukeln, um wieder zu Atem zu kommen.

»Alles in allem ist es doch gar nicht so schlecht gelaufen«, sagte ich schließlich.

Aber Molly und Karl schienen nicht meiner Meinung zu sein.

Molly stand auf, nahm mir Oinkdexter ab und sagte: »Ich bin raus.«

»Und was machen wir jetzt mit dem Schwein?«, fragte ich.

»*Wir* machen schon mal gar nichts«, sagte Molly. »Weil *wir* nicht mehr im Wachdienst sind. Weil es den Wachdienst überhaupt nicht mehr gibt.«

»Moment mal. Wieso denn das?«

»Wir haben abgestimmt. Es steht zwei gegen einen. Aus die Maus.«

Ich schaute Karl an. »Wann hast du abgestimmt?«

»Ach, kommt schon, wir können doch was zusammen planen«, sagte ich. »Ich mag euch. Ich mag den Wachdienst. Ich mag …«

»NUR DICH SELBST!«, schrie Molly.

»Molly, bitte!«, flehte ich.

Sie ignorierte mich und wandte sich Karl zu. »Was ist, kommst du?«

Dann stapfte sie davon. Karl drehte sich noch einmal zu mir um. »Weißt du, ich war schon im Wachdienst, bevor der cool wurde.«

»Ich weiß, Karl.« Ich nickte.

»Und da hat's viel mehr Spaß gemacht«, fuhr Karl fort.

Dann hüpfte er von der Schaukel und folgte Molly aus dem Park.

Okay, wie ihr wollt, dachte ich. Ich brauchte die beiden nicht. Ich konnte auch allein Spaß haben. Auf der Schaukel, zum Beispiel. Schaukeln macht Spaß. Und man braucht dazu keine blöden Freunde. *Man kann wunderbar auch allein vor sich hin schaukeln und Spaß haben.*

Also begann ich zu schaukeln.

Erst langsam. Dann schneller. Und höher. Und noch höher. Und dann ließ ich los.

Ich hing da in der Luft und sah runter und wartete drauf, dass die Erde sich auftat, damit ich fallen konnte. Und immer weiter fallen und fallen, bis ich vergaß, dass ich am Fallen war.

Aber die Erde tat sich nicht auf.

Ich fiel einfach nur.

Und landete.

Und schluckte verdammt viel Dreck.

30. KAPITEL

Bis ich nach Hause kam, war ich fast schon wieder getrocknet. Ich versuchte, mich an Omami vorbeizuschleichen, aber die Frau hat Augen am Hinterkopf. Und auf den Armen. Und noch ein paar auf den Beinen. Und zwei richtig gruselige auf den Füßen.

Ich schüttelte den Kopf. »Nichts.«

Omami runzelte die Stirn. »›Nichts‹ ist so schwachsinnig wie ein Lippenstift für Hühner.«

»Ich hab meine Freunde fallen gelassen«, sagte ich.

»Dann hilf ihnen wieder auf.«

»So einfach ist das nicht.«

»Sind die stämmiger als du?«

Ich lächelte. »Einer zumindest.«

Sie nickte. »Man kann seine Freunde erst verarzten, wenn man selber fest auf seinen Füßen steht.«

Ich schüttelte den Kopf. »Das versteh ich nicht.«

Omami dachte kurz nach. »Okay, ich versuch's mal mit einer Comic-Erklärung. Du weißt doch, die Geschichte mit dem Typen ohne Wirbelsäule, der gegen einen Gnom kämpft, der alles in Glibber verwandelt?«

»*NanoNerd* Heft dreiundfünfzig?«, sagte ich. »Du hast *NanoNerd* gelesen?«

»Du hast es im Badezimmer rumliegen lassen«, erklärte Omami.

»Das Heft ist eins der besten«, sagte ich. »NanoNerd gegen Troy: Der Glotzende Glibbergnom von Goy.«

Omami lächelte. »Ein Blick von Troy … oh *bibber!* verwandelt alles *schwupps* in Glibber!«

»Wow.«

Omami grinste. »Du kannst die Story am besten erzählen.«

»Am Ende hatte NanoNerd nur noch eine einzige Chance, Troy zu besiegen«, fuhr ich fort.

»Ja, die Abprall-Waffe«, sagte Omami. »Wenn man seinen Freunden wehtut, kann einem nicht gefallen, was man im Spiegel sieht. Dann hat man nur zwei Möglichkeiten: Entweder man hört auf, in den Spiegel zu schauen, und hasst sich selbst für alle Zeit, oder …«

»Oder was?«

Omami lächelte. »Du kommst schon drauf.« Dann beugte sie sich nach vorn und umarmte mich.

Ich grübelte also den ganzen Abend. Wahrscheinlich kann man so ziemlich alles im Leben mit Comic-Geschichten erklären. Oder vielleicht auch nicht.

Irgendwann gab ich dann auf. Ich wollte mir gerade die Zähne putzen gehen, da hielt Mom mich auf dem Flur auf.

Ich dachte schon, sie würde sich wieder Mom-Ninja-mäßig meines Problems annehmen, aber nein. »Ich möchte, dass du heute richtig gründlich putzt. Guck dabei in den Spiegel und schau zu, dass du auch die hintersten Ecken der Backenzähne erwischst.«

Also tat ich das. Ich putzte mir die oberen und die unteren Zähne, die vorderen und die hinteren, und steckte mir dabei die Zahnbürste so tief in den Mund, dass ich damit gegen das rosane Baumeldingens im Rachen stieß.

Davon musste ich würgen. Und zwar ziemlich übel. Ich hustete und prustete und würgte dann noch mal.

Sofort stand Mom in der Badezimmertür. »Alles klar bei dir?«

»Ja, alles bestens.«

Mom entspannte sich. »Hast du auch die Backenzähne gründlich geputzt?«

Ich nickte.

»Gut gemacht.« Sie drückte mir einen Kuss auf den Nacken. »Ich hab dich lieb«, sagte sie und verschwand wieder.

Plötzlich hatte ich so ein komisches Gefühl. Wie wenn jemand was Nettes zu dir sagt, aber du weißt genau, dass du es nicht verdient hast.

Jetzt verstand ich auf einmal, was Omami mir hatte erklären wollen. Das war nicht ich, der mir da aus dem Spiegel entgegenschaute. Das war Gnaul: ein Paul-Gnom-Mutant, der log und seine Freunde im Stich ließ. Jetzt würde ich nie wieder in den Spiegel gucken können, solange ich nicht alles wieder geradebog und die Wahrheit sagte. Jedenfalls nicht ohne Glibber-Explosion.

Oder so.

Plötzlich wusste ich, was ich zu tun hatte. Ich wartete, bis Omami eingeschlafen war, schnappte mir ihr Handy und aktivierte Roys Nummer, um ihm eine letzte SMS zu schicken.

Max: Treffen morgen um 4 beim Fußballfeld.

Dann ging ich ins Bett. Aber ich konnte nicht einschlafen, sondern lag nur da und wälzte mich. Eine Frage trieb mich um, eine richtig, richtig superwichtige Frage.

Das war doch unlogisch. Wasser. Metall. Fensterscheiben. Leben die auf Goy alle in einem Erdloch, oder was?

Wenn ich den nächsten Tag überlebte, würde ich eine E-Mail an Nerdopolis Comics schicken und eine Antwort verlangen.

Falls ich überlebte.

31. KAPITEL

Am nächsten Morgen schlief ich aus, sehr lange. Wir hatten wegen einer Lehrerkonferenz keine Schule, nur die Naturwissenschafts-Ausstellung stand am Abend an.

Als ich nach unten kam, waren Mom und Omami schon weg.

Ich war gerade dabei, mir Frühstück zu machen, als ich ein Telefon brummen hörte.

Es war Omamis Handy.

Und darauf gleich mehrere SMS von Roy.

Roy: Ok ich warte beim Fußballfeld. Du bist so was von tot.
Max: Das lasse ich mir nicht entgehen. Ich mach dich so was von fertig! Komme gleich nach meinem wöchentlichen Friseurtermin hin.
Roy: ???

Ich hatte gestern Abend vergessen, Roys Nummer wieder zu sperren! Jetzt würde Omami alles rausfinden. Das hieß, selbst wenn ich irgendwie Roy, Becky, Molly und Karl überlebte – Omami würde ich auf keinen Fall überleben.

32. KAPITEL

Ich kam etwa eine Stunde vor Beginn der Naturwissenschafts-Ausstellung in der Schule an. Dann, so dachte ich, würde wenigstens keiner sehen, wie mir die Milz ausgerissen wurde.

Aber ich hatte falsch gedacht.

»›Spart am Werk nicht Fleiß noch Mühe, Feuer sprühe, Kessel glühe!‹«, sagte Mr. Dupree hinter mir.

Ich wirbelte herum. »Wissen *Sie* eigentlich wenigstens selber, was das ganze Zeug bedeutet?«, fragte ich.

Er nickte. »Es bedeutet, dass ich glaube, dass Molly, Karl und du irgendetwas vorhabt.«

Vielleicht ist er doch Emily.

»Ich weiß, dass ihr so schnell wie möglich mit dem Wachdienst loslegen wollt. Aber ihr seid noch nicht so weit. Ihr müsst euch noch ein bisschen gedulden.«

Nein, er ist nicht Emily.

»Wo wir gerade von Geduld sprechen – hab ich dir schon mal erzählt, wie ich in der Antarktis Pinguine für das olympische Skispringen trainiert habe?«

Nein. Er ist hundertpro NICHT Emily. Er hat einfach nur einen an der Klatsche.

»Wusstest du, dass es bei Olympischen Spielen keine Beschränkung gibt, was die Tierart angeht?«

»Wieder so eine Lüge, die die Wahrheit sagt?«, fragte ich und wandte mich dem Fußballfeld zu.

»Hast du die letzte denn schon aufgedröselt?«, fragte Mr. Dupree zurück.

Bevor ich etwas antworten konnte, erspähte ich unten auf dem Feld eine Gestalt mit einer wohlvertrauten Frisur, die sich durch die versammelte Menge zwängte.

Ich stürmte aufs Feld, schob mich zwischen den Leuten durch und kam gerade rechtzeitig bei Omami an, um sie sagen zu hören: »Ich suche diesen ausgesprochen unhöflichen Menschen namens Roy, der mir ständig Drohungen aufs Handy schickt.«

Roy wirkte verwirrt. »Moment mal, *Sie* haben mir die ganzen Droh-SMS geschickt?«

»*Ich* soll *dich* bedroht haben? Du bist doch derjenige, der mir die Milz rausreißen will!«, gab Omami zurück.

Roy schüttelte den Kopf. »Sie können unmöglich Max sein!«

Da sprang ich zwischen Omami und Roy. »Nein, Halt! Ich bin Max!«

»Du?«, sagte Roy.

»Du?«, flüsterte Omami.

»Du!«, rief Becky.

Karl wandte sich an die Umstehenden und zeigte auf mich. »Er.«

Omami griff nach mir. »Du bist also Max, der diesen Jungen hier tyrannisiert?«

Ich nickte.

Omami sackte regelrecht in sich zusammen, wie so ein riesiger Werbeballon, wie sie manchmal über Autohäusern schweben.

»Was ist hier eigentlich los?«, schrie ein Mädchen.

Alle Augen richteten sich auf die Schüler-Vermittler, die sich jetzt aus der Menge lösten.

Ich schaute Roy an. Roy schaute mich an. Ok, wir waren Feinde bis in den Tod, aber in einem waren wir uns eindeutig einig: Es gab kein Universum, ob parallel oder nicht, in dem wir unseren Krieg vor den Augen der Schüler-Vermittler austragen würden.

Aber bevor ich den rechthaberischen Mädels sagen konnte, sie sollten sich vom Acker machen, begannen plötzlich Dutzende Handys auf einmal zu klingeln.

Alle guckten sofort nach.

»Da steht: Nach oben schauen!«, rief Karl.

Also schauten alle nach oben. Selbst Roy.

In diesem Augenblick beschlossen Roys drei Gehirnzellen offenbar, sich in Bewegung zu setzen. Er senkte den Blick und schaute in die Runde statt in den Himmel.

Während alle noch nach oben starrten, packte er mich mit der einen Hand und Karls Kofferrucksack auf Rollen mit der anderen. Bevor ich wusste, wie mir

geschah, hatte Roy mich schon aus der Menge rausgeschleift und begonnen, Karls Zeug auszukippen.

Er kippte und kippte und kippte.

Dann stopfte er mich zu einer von Karls sieben Thunfisch-Dosen in den Rucksack und stapfte los.

Anscheinend mag Roy gern Thunfisch, dachte ich.

Wieder mal falsch gedacht.

33. KAPITEL

Eine gefühlte Ewigkeit wurde ich im Auf-und-ab-hüpf-Modus transportiert, dann blieben wir plötzlich stehen. Roy öffnete den Rucksack, und mir wurde klar, dass der Thunfisch doch nicht für ihn gedacht war.

Wir waren bei den Katzen-Mülltonnen! Roy wollte mich mit Thunfisch vollschmieren und an die Katzen verfüttern!

Da erschien selbst die Aussicht, mir die Milz rausreißen zu lassen, auf einmal verlockender.

»Raus da!«, befahl Roy.

Ich rappelte mich auf, fiel aber gleich wieder hin.

Ich zeigte auf meine Beine. »Gummibeine.«

Roy schob auf mich zu. Ich hob abwehrend die Hände und duckte mich.

Er griff an mir vorbei nach dem Thunfisch. »Das warst du im Baumhaus, mit der bescheuerten Verkleidung.«

Ich nickte.

»Wo ist Oinkdexter?«

»Ich hab ihn nicht.«

Roy begann die Packung aufzureißen. »Entweder du sagst mir sofort, wo er ist, oder ich schmier dir das drauf und stopf dich kopfüber in die Tonne.«

»Ich hab ihn nicht. Molly hat ihn. Und ich weiß nicht, wo sie ihn aufbewahrt.«

Ich sah hoch. Die Mülltonnen waren unter einer Meute von Katzen, die mich hungrig anstarrten, kaum mehr zu erkennen.

Ich wandte mich wieder Roy zu. »Bitte! Ich weiß es echt nicht. Ich würde es dir sagen. Wirklich!«

Roy riss die Packung ganz auf.

»NEIN!«, brüllte ich.

Vor den Augen der vorfreudig sabbernden Katzen griff Roy nach mir. Aber gerade als er den Thunfisch über mir auskippen wollte …

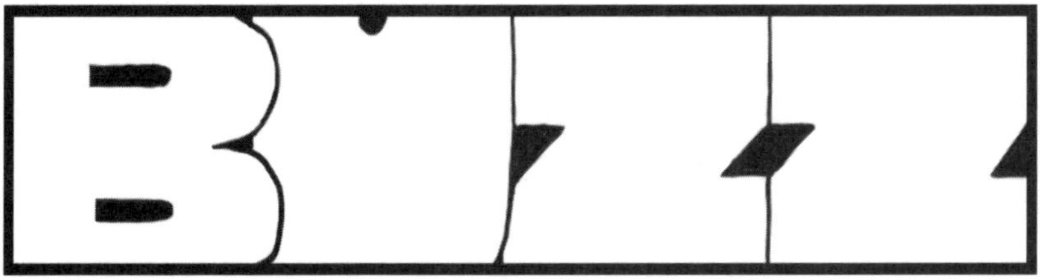

Roys Handy. Er schaute auf das Display und schnappte nach Luft. Dann ließ er das Handy fallen, sank rücklings gegen die Mülltonnen und glitt langsam zu Boden. Sofort stürzten sich die Katzen auf die offene fischige Leckerei, die er immer noch in der Hand hielt.

Ich hob sein Handy auf. Es war eine SMS von Molly.

Molly: Entweder du hörst auf, uns zu tyrannisieren, oder das Schwein muss dran glauben!

Ein Foto war auch dabei.

Von Karls »Wer hat den Dreh raus?«-Versuchsanordnung. Er und Molly wollten Oinkdexter also zerfetzen.

Aber eins wollte mir nicht in den Kopf. »Das ist doch nur ein dämliches Plüschschwein. Wieso regst du dich so ...?«

Ich schaute zu Roy hinüber, der immer noch unter der Katzenmeute begraben war. Er rührte sich nicht, sondern stierte nur stumm ins Leere. Und er sah … verletzt aus.

Der Fiesling in ihm war verschwunden.

An seiner Stelle sah ich auf einmal einen Fiesling, den ich nur zu gut kannte.

34. KAPITEL

Meinst du wirklich, du kannst Oinkdexter zurückholen?«, fragte Roy. Wir standen im Jungsklo im ersten Stock und schauten zum Lüftungsschacht hoch.

Ich nickte. »Kein Thema.«

Dabei hatte ich keine Ahnung, wie viele Themen das so mit sich bringen würde. Wahrscheinlich sogar große und schwere Themen oder einen ganzen Themenkatalog. Jedenfalls sicherlich mehr, als ich stemmen konnte. Aber ich musste Roy helfen. Ich konnte ihn doch nicht diesen Müllkatzen überlassen. Die Viecher lecken sogar der Sonne den Schein weg.

»Bist du sicher, dass sie mir Oinkdexter nicht zurückgeben würden, wenn ich auf ihre Forderungen eingehe?«, fragte Roy.

»Ganz sicher. Wenn sie ihn dir wiedergeben, was sollte dich dann noch davon abhalten, sie weiter zu piesacken?« Ich hob den Schachtdeckel ab.

»Wieso hilfst du mir?«, fragte Roy.

»Damit ich mein Spiegelbild wieder ertragen kann.«

»Was?«

»Vergiss es. Aber eins würde ich gern wissen: Wieso hängst du so an dem Schwein?«

»Oinkdexter riecht nach meiner Mom.«

»Wohnt deine Mom nicht mehr bei euch?«

Roy schüttelte den Kopf.

Ich wusste nicht, was ich dazu sagen sollte, also sagte ich erst mal gar nichts. Dann holte ich mein Handy raus: »Schritt eins: Jemanden, der mich hasst, um Hilfe anflehen.«

Becky drückte mich weg. Ich schickte ihr eine SMS:

Paul: Es geht nicht um mich! ES GEHT UM ROY! Brauch deine Hilfe, um sein Schwein zurückzukriegen! Ruf bitte an!

Ein paar Sekunden später klingelte mein Handy.

»Das ist alles nur deine Schuld!«, schrie Becky.

»Ich weiß, aber wir brauchen trotzdem deine Hilfe«, bettelte ich.

»Warum hilfst du plötzlich Roy?«

»Weil er mich darum gebeten hat.«

»Nach allem, was du ihm angetan hast, soll er dich auf einmal um Hilfe gebeten haben? Und nach allem, was er dir angetan hat, sollst du jetzt auf einmal Ja gesagt haben?«

»Damit wären wir wohl quitt«, sagte ich.

Es folgte eine lange Pause, dann sagte sie: »Ok, was soll ich tun?«

Ich ließ den Atem entweichen, von dem ich gar nicht wusste, dass ich ihn angehalten hatte. Also hasste mich Becky doch nicht total. Nur 99-prozentig.

»Wir haben eine halbe Stunde«, sagte ich. »Wenn ich gleich bei dir anklingeln lasse, musst du alle Leute irgendwie aus der Cafeteria rauskriegen.«

»Und wie soll ich das bitte machen?«

»Das Detail hab ich noch nicht so genau ausgearbeitet.«

»Oh, cool, das ist ja ein richtig perfekt durchdachter Plan.«

»Komm schon, vertrau mir einfach. Bitte!«

Wieder Pause. »Also gut«, sagte sie dann.

Ich legte auf und drehte mich zu Roy um. »Becky ist dabei.«

»Also, wir kriechen durch den Schacht bis zur Cafeteria, lassen uns in den irgendwie menschenleer gemachten Raum fallen und schnappen uns Oinkdexter, richtig?«

»Richtig. Siehste, kein Thema«, sagte ich. Aber eine ferne Stimme in meinem Kopf rief:

EXTRABLATT: SCHÜLER VERSAGT,
VON THEMA ZERQUETSCHT.

35. KAPITEL

Roy steckte den Kopf in den Schacht. »Gibt's hier Krabbelviecher oder so was?«

»Nein. Ich weiß nicht. Vielleicht. Du hast doch keine Angst, oder?«

Roy und ich kletterten in den Schacht und schoben uns im Schein meines Handys vorwärts.

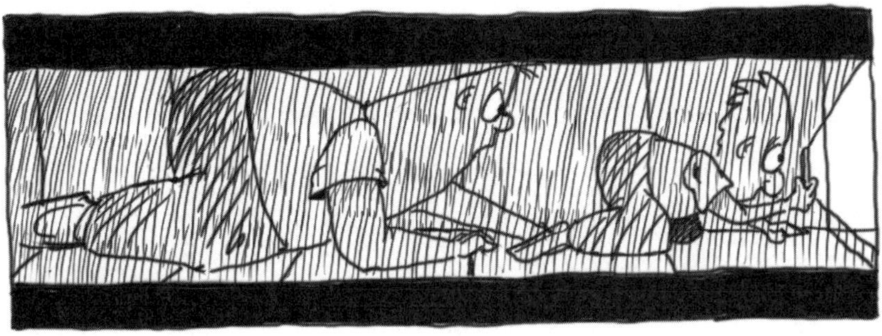

Wir krochen an Dr. Daniels' Büro vorbei und dann am Sekretariat. Alles verlief perfekt nach Plan, bis …

… mein Handy ausging. Und wir nichts mehr sehen konnten.

Keine Panik, dachte ich. *Wir haben ja immer noch Roys Handy.*

Ein schwaches Licht drang von hinten zu mir. »Ähm … ich fürchte, mein Akku ist auch gleich leer«, sagte Roy.

»Schon gut, mach das Handy ruhig aus. Wir müssen nur noch einmal nach links abbiegen, dann nach rechts und dann wieder links. Folge mir.«

Ich tastete mich voran. Nach wenigen Metern fiel plötzlich Licht von oben in den Schacht, und unter uns waren Stimmen zu hören. Wir befanden uns über der Cafeteria. Nur noch ein paar Schritte bis zur ersten Schachtöffnung.

»Wir sind da. Alles locker, Roy?«, fragte ich.

Keine Antwort.

»Roy?«

Ich schaute zurück. Keine Spur von ihm.

»ROY!«, schrie ich.

»Was ist?«, sagte Roy.

Ich wirbelte herum – plötzlich kauerte Roy vor mir, jenseits des Schachtdeckels.

»Aber ich hab mein Handy gar nicht mehr angemacht!«, sagte ich. »Das war bestimmt das Licht von …«

»Emily«, sagte Roy.

»Jetzt fang du nicht auch noch an. Du weißt doch, dass Emily nicht existiert.«

»Klar existiert sie. Sie ist genauso echt wie Oinkdexter.«

»Oinkdexter ist ein Plüschschwein.«

»Oinkdexter hilft mir, mit Sachen klarzukommen, die ich nicht verstehe, und Emily hilft anderen Kids, mit Sachen klarzukommen, die sie nicht verstehen. Wenn es funktioniert, ist es echt. Und es funktioniert.«

Ich schaute ihn eine Weile an. »Du hast schon viele Therapiesitzungen hinter dir, was, Roy?«

»Und ob.«

Dann schaltete er sein Handy ein. »Noch zehn Minuten. Und, ist dir inzwischen was eingefallen, wie wir die Leute da rauskriegen?«

»Da arbeite ich noch dran«, sagte ich und spähte durch das Gitter auf die Ausstellung unter uns. Der Raum war vollgestopft mit Schülern, Eltern, Lehrern und Dutzenden von Ausstellungsstücken. Keine Ahnung, wie wir ihn so schnell leer kriegen sollten. Ich wollte schon aufgeben, als mein Blick auf etwas fiel, was direkt unter mir stand.

Die Antwort auf meine Frage sprang mir geradewegs mit kurzem Anlauf ins Gesicht.

Ich tickerte Becky eine SMS.

Paul: LASS DEN PYTHON RAUS!

Ich drückte auf Senden. Nichts passierte. Ich starrte mein Handy an. »Mist, kein Netz!«

Ich fuchtelte mit dem Ding durch die Luft, links und rechts und nach allen Seiten, aber vergeblich.

Roy holte tief Luft. »Ok, ich werde also auf ihre Forderungen eingehen. Danke, dass du versucht hast, mir zu helfen.«

»Aber die geben dir dein Schwein trotzdem nicht wieder! Ist doch ihre einzige Sicherheit, dass du dein Versprechen auch hältst. Es muss eine andere Möglichkeit geben.«

Ich schaute nach unten. Oinkdexter befand sich fast

direkt unter uns ein Stück weiter. Wenn ich nur einen Bindfaden oder so was gehabt hätte …

Und dann sah ich es. »Das Kabel!«, sagte ich. Mehrere Kabelstränge schlängelten sich durch den Schacht. Ich zog an einem. Nichts.

»Lass mich das machen«, sagte Roy.

Er zog und zerrte nach allen Richtungen, und schließlich gab das Kabel nach. Hastig wickelte ich es auf und knotete das eine Ende zu einer Schlaufe.

Roy ließ mich nicht aus den Augen. »Noch fünf Minuten, dann muss ich mich auf den Deal einlassen.«

Schnell krochen wir zu der anderen Schachtöffnung. Ich seilte das Kabel ab.

Roy griff nach meiner Schulter. »Sei bitte vorsichtig.«

Ich nickte.

Dann konzentrierte ich mich wieder auf die Rettungsaktion. Langsam ließ ich die Schlaufe um ein Bein von Oinkdexter gleiten und zog sie fest. »Hab ihn!«, meldete ich Roy.

Aber dann spürte ich plötzlich, wie unten am anderen Ende gezogen wurde.

»Sie hat Oinkdexter!«, schrie Roy.

Unten stand Molly und zerrte am Kabel, Becky stand daneben und guckte zu uns hoch.

Bevor ich etwas sagen konnte, brüllte jemand:

SCHLANGEEEEE

Sofort ergoss sich eine Flutwelle aus Schülern und Eltern in Richtung der Ausgänge.

Ich wandte mich Roy zu. »Becky muss die SMS doch irgendwie bekommen haben. Aber wie?«

Als ich mich wieder runterbeugte, waren Molly und Becky verschwunden, von der fliehenden Menschenmasse mitgerissen.

»Da!«, brüllte Roy. »Über den Köpfen! Oinkdexter!«

Hilflos mussten Roy und ich mit ansehen, wie Oinkdexter mit der panischen Menge verschwand.

Ich schaute Roy an. Er sah verängstigt aus. Als hätte er mehr Angst davor, Oinkdexter zu verlieren, als ich je Angst vor ihm gehabt hätte.

36. KAPITEL

Sobald die Cafeteria leer war, suchten wir mit den Augen den ganzen Raum nach Oinkdexter ab. Schließlich entdeckte ich ihn neben dem kaputten Mäusekäfig. Aber ich war nicht der Einzige, der ihn entdeckt hatte.

»Da ist er!«, riefen Molly und ich gleichzeitig.

Molly kauerte mit Becky unter einem Tisch. Sofort hielt sie auf Oinkdexter zu. Wir mussten uns beeilen.

Aber bevor ich Roy überreden konnte, mich runterzuheben, deutete er nach unten und schrie: »Schlange!«

Auch Molly und Becky sahen jetzt, wie sich Willy auf Oinkdexter zuschlängelte – und versteinerten. Ich

wusste, dass Pythons zwar nur für Mäuse und nicht für Menschen gefährlich waren, aber trotzdem, Willy war eine **GROSSE** Schlange. Ich wäre vor Angst gestorben, wenn Roy in diesem Augenblick nicht etwas gesagt hätte.

»Oinkdexter ist das Einzige, was mir von meiner Mom geblieben ist.«

»Wann ist sie … ?«

»Vor zwei Jahren.«

Auf einmal fügte sich alles stimmig zusammen. »Und er riecht noch nach ihr.«

Roy nickte.

Ich streckte die Beine aus der Schachtöffnung. »Lass mich runter.«

Roy packte mich bei den Handgelenken und senkte mich ab.

Aber ich war immer noch zu weit über dem Boden.

»Lass mich einfach fallen!«, rief ich.

Aber Roy hörte nicht auf mich. Plötzlich ließ er meine linke Hand los, zeigte auf Oinkdexter und brüllte:

Wir sackten etwa einen halben Meter ab, dann blieben wir stecken. Ich sah nach oben: Der Schacht war durch die Decke gebrochen. Roy steckte kopfüber im Gitter fest, meine Rechte wie mit einer Schraubzwinge umklammernd.

»Die Schlange hat Oinkdexter!«, jaulte Roy.

»Lass mich fa–!«, wollte ich schreien, wurde aber von einem ohrenbetäubenden Krachen unterbrochen, als die Decke nachgab und der Schacht komplett aufbrach.

Es war uns nichts passiert. Eine Wassermelone, die zum »Wer hat den Dreh raus?«-Versuchsaufbau gehörte, hatte Roys Fall abgepuffert – und Roy den meinen.

Hektisch wischten wir uns die Melonenfetzen ab, rappelten uns auf und standen auf einmal Auge in Auge mit … Karl.

Roy streckte die Hand nach Oinkdexter aus.

Aber Molly kam ihm zuvor und schnappte Karl das Schwein weg. »Nicht so hastig!«, sagte sie.

»Ich verspreche, ich lasse euch ab sofort immer in Ruhe«, jaulte Roy. »Ich will nur Oinkdexter wiederhaben.«

»Keine Chance«, erwiderte Molly. »Das Schwein ist doch unser einziges Mittel gegen dich.«

Ich sah Roy an. »Hab ich dir doch gesagt, die rücken das Ding nicht raus. Ok, ich regel das.«

Ich zog Molly, Karl und Becky ein paar Schritte beiseite, um allein mit ihnen zu sprechen und ihnen von Oinkdexters besonderer ›Duftmarke‹ zu erzählen.

Als ich fertig war, schauten alle zu Roy. Irgendwie sah er auf einmal viel kleiner aus. Und fast harmlos. Fast.

Molly ging zu Roy und hielt ihm das Schwein hin, zog es dann aber wieder zurück. »Du bindest mir nie wieder die Schnürsenkel zusammen und hängst Karl nie wieder an der Unterhose auf?«

»Geht klar«, sagte Roy.

»Und du stopfst mich nie wieder in mein Schließfach«, fügte ich hinzu.

»Auch nicht vor der Sportstunde?«, fragte Roy.

Ich dachte kurz nach. »Ok, vor der Sportstunde darfst du«, sagte ich schließlich. »Aber sonst nicht.

Und du brauchst mich nicht mehr brutal reinzuschubsen. Ich kann auch selber reinsteigen.«

»Abgemacht«, sagte Roy.

Molly, Karl und ich sagten: »Abgemacht.«

Dann gab Molly Roy sein Kuscheltier zurück. Und wir durften Zeugen einer Wiedervereinigung zwischen Junge und Schwein sein. Wirklich seltsame Erfahrung.

»Wo ist eigentlich Karl?«, fragte Becky.

Wir wirbelten herum – Karl wurde gerade inniglich von Willy umarmt.

Roy und ich wickelten die Schlange ab und steckten sie in ihren Käfig zurück.

Als wir zu den anderen zurückgingen, fragte ich Roy: »Siehst du deine Mom wirklich nie mehr?«

Roy blieb stehen und hob Oinkdexter lächelnd in die Höhe.

Und da kapierte ich endlich alles. Nein, Roy würde seine Mutter nie wieder sehen. Mr. Dupree war nicht verrückt. Und eine Lüge konnte tatsächlich die Wahrheit sagen.

»Hey, Leute?«, sagte Karl. »Leute!«

So ziemlich die ganze Schule stand da und starrte uns an – in vorderster Reihe Dr. Daniels und Mr. Dupree. Ich hätte es nicht beschwören können, aber ich meine, Mr. Dupree zwinkerte mir zu.

Molly, Becky, Karl, Roy und ich sahen einander an. Dann schauten wir wieder in die Runde und taten das, was jeder normale Mensch tut, wenn er nicht weiß, was er tun soll.

37. KAPITEL

Das Schulterzucken brachte uns allen drei Wochen Nachsitzen ein. Roy und ich bekamen außerdem wöchentliche Sitzungen bei den zickigen Schüler-Vermittlerinnen sowie tägliche Einzelgespräche mit Dr. Daniels aufgebrummt.

Bis auf die Zicken war das alles gar nicht so schlimm. Die gehen Roy und mir echt auf den Keks. Aber wir kommen schon klar.

Je mehr Zeit ich mit Roy verbringe, desto mehr wird mir klar, dass er gar nicht so übel ist. Ich meine, wir werden nie beste Freunde werden oder so, schließlich haben wir beide einen Ruf zu verlieren. Ab und zu muss er mich immer noch in mein Schließfach stopfen.

Und ab und zu muss ich ihn einen hirnverbrannten Mutanten-Troll nennen.

Aber manchmal, beim Nachsitzen, wenn keiner seiner Mutanten-Kumpels dabei ist, können wir uns richtig gut unterhalten. Über Emily besonders oft.

Ein paar Tage nach der Cafeteria-Aktion – Roy war gerade dabei, mich freundlich in mein Schließfach hineinzukomplimentieren – zeigte ich ihm ein paar SMS, die Becky mir geschickt hatte.

Becky: Du hast das Richtige getan.

Paul: Ging aber nur, weil du den Python rausgelassen hast.

Becky: Das war ich nicht. Emily?

Roy nickte. »Emily hat echt einiges drauf.«

»Ja-ja«, sagte ich. »Ich meine, ich hab verstanden, was du mir da im Schacht sagen wolltest, aber das heißt trotzdem noch lange nicht, dass es Emily gibt.«

»Und wer hat dann Willy rausgelassen?«

Ich hob leicht meine Schultern. »Ich hab Molly auch schon gefragt, sie war's nicht. Und Karl meinte, er würde sich nie mit fremden Federn schmücken, das wäre Emily gegenüber nicht fair.«

»Dann gehen dir wohl langsam die Verdächtigen aus«, sagte Roy.

»Bleibt nur noch Mr. Dupree. Ich hab von Anfang an gedacht, er wär's. Und dann dachte ich, nein, doch nicht. Und dann dachte ich, er MUSS es sein, aber dann hab ich eine Liste gemacht mit allen Emily-Sachen, die bisher passiert sind.«

EMILYS GEHEIMNISSE

1. WER HAT »BRING DIE FREAK-NUMMER!« GERUFEN?

2. WER HAT DAS LICHT IM KELLER AUSGEMACHT?

3. WER HAT DEN RASENSPRENGER ANGESTELLT?

4. WER HAT DIE »NACH OBEN SCHAUEN!«-SMS AN ALLE GESCHICKT?

5. WESSEN LICHT HAT ROY ZUM RICHTIGEN LÜFTUNGSSCHACHT GEFÜHRT?

6. WER HAT DEN PYTHON RAUSGELASSEN?

»Und da wurde mir klar, wenn das immer Mr. Dupree gewesen wäre, hätte man ihn bestimmt schon längst wegen Gefährdung von Schutzbefohlenen oder so verklagt. Der Mann ist vielleicht verrückt, aber sooo verrückt nun auch wieder nicht.«

»Aus demselben Grund kann es auch kein Lehrer oder Schulangestellter gewesen sein. Tja, Kumpel, kapier's endlich, Emily ist echt.«

»Emily ist ein Mythos«, sagte ich und kletterte in mein Schließfach. »Sie ist eine Legende, die sich irgendwelche Kids ausgedacht haben, als Erklärung für Dinge, die sie sich nicht anders erklären können.«

»Funktioniert bei mir jedenfalls bestens«, sagte Roy und machte die Tür vor meiner Nase zu. »Bis später.«

Wie ich da so allein im Dunkeln in meinem Schließfach kauerte, ging ich die Liste der Verdächtigen noch einmal durch. Wenn es kein Erwachsener war, dann konnte es ja nur ein Kind sein, das praktisch unsichtbar war. Ein Superkid, sozusagen.

MICH.

WER WAR DAS??

MICHAEL FRY

war ein schulischer Einzelgänger, der Schach und Horn spielte (und überlebte).

Endlich raus aus der Schule, wurde er Comic-Zeichner. Seine Comic-Strips *Ab durch die Hecke* wurden 2006 sogar als Animationsfilm ins Kino gebracht und der feierte einen riesengroßen Erfolg. Und bald wurde Michael Fry auch der Gründer einer Firma, die gedruckte Comics digital bearbeitet und animiert. Er ist stolzer Vater von zwei Töchtern, lebt in Austin, Texas, und arbeitet gerade am nächsten Band über Paul und seine Freunde.

Cool & clever: Daniel, unser Superheld

Matthew Cody
Achtung, Superheld!
Aus dem Amerikanischen von Susanne Klein.
Einband von Helge Vogt. 304 Seiten.
Ab 10 Jahren. ISBN 978-3-7915-2736-9

Matthew Cody
Superhelden in Gefahr!
Aus dem Amerikanischen von Susanne Klein.
Einband von Helge Vogt. 320 Seiten.
Ab 10 Jahren. ISBN 978-3-7915-2742-0

Kaum zu fassen: Daniels neue Freunde haben Superkräfte! Mollie kann fliegen. Eric ist ungeheuer stark. Und Rohan hört buchstäblich das Gras wachsen. Doch irgendjemand sorgt dafür, dass die Kids ihre Fähigkeiten verlieren. Jetzt ist Hobby-Meisterdetektiv Daniel gefragt. Ein paar alte Comics bringen die Clique auf die richtige, aber äußerst gefährliche Fährte …

»Dieses Buch besitzt Superkräfte – man kann es einfach nicht aus der Hand legen.«
[Jonathan Stroud, Autor der Bartimäus-Trilogie, zu Band 1]

DRESSLER

Auch als E-Book erhältlich. Weitere Informationen unter:
www.dressler-verlag.de